Mitos griegos

Colección dirigida por

Francisco Antón

Maria Angelidou

Mitos griegos

Adaptación y notas
Miguel Tristán

Ilustraciones
Svetlin

Actividades
Santiago Muras

Vicens Vives

Las editoriales Papadopoulos Publishing y Vicens Vives han coproducido un libro de veintiún mitos griegos, con texto de Maria Angelidou e ilustraciones de Svetlin. Para la presente edición se han seleccionado catorce mitos de los veintiuno que componen el libro original, y el texto de Maria Angelidou ha sido adaptado, ampliado y refundido por el escritor Miguel Tristán para su difusión en el ámbito educativo.

Primera edición, 2008
Reimpresiones, 2009, 2009, 2010, 2010
2011, 2011, 2012, 2013, 2013, 2014, 2015
Duodécima reimpresión, 2016

Depósito Legal: B. 37.222-2011
ISBN: 978-84-316-9065-6
Núm. de Orden V.V.: IX51

Índice

Mitos griegos

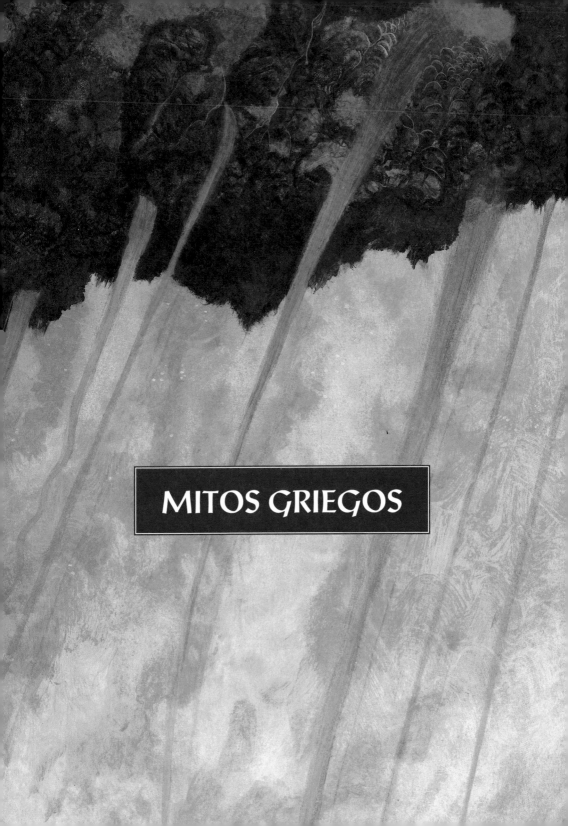

MITOS GRIEGOS

Prometeo, el ladrón del fuego

Al principio de los tiempos, los dioses establecieron su hogar en la cima del monte Olimpo, cerca de las estrellas.[1] En aquel lugar idílico, llevaban una vida de lo más placentera: paseaban con calma por sus amenos y coloridos jardines, celebraban grandes banquetes en sus palacios de mármol y tomaban a todas horas néctar y ambrosía, un licor y un alimento dulcísimos que aseguraban su inmortalidad.

Mientras tanto, los hombres hacían su vida abajo, en la Tierra. Habían sido creados con arcilla, y pasaban sus días cultivando los campos y criando ganado. En los momentos difíciles, rezaban a los dioses para pedirles auxilio, y después les agradecían la ayuda recibida haciéndoles ofrendas.[2] De cada cosecha que los hombres recogían y de cada animal que sacrificaban, quemaban la mitad en los templos, y así la ofrenda, convertida en humo, llegaba hasta la cima del Olimpo.

Todo iba bien hasta que un día, tras haber matado a un robusto buey para comérselo, los hombres empezaron a discutir sobre qué parte del animal debían quedarse y cuál tenían que entregar a los dioses.

---

1 El Olimpo es un monte real, que se cuenta entre los más altos de Grecia.

2 *ofrenda*: regalo que se le hace a un dios para mostrarle agradecimiento por un favor o para pedirle ayuda.

—Quedémonos con la carne y quememos los huesos —proponían unos.

—¡No digáis locuras! —exclamaban otros—. Si les damos a los dioses la peor parte, nos castigarán sin piedad.

—Pero ¿de qué vamos a alimentarnos si entregamos la carne?

El mismísimo Zeus, padre de los dioses, entró en la disputa.

—La carne del buey debe ser para nosotros —dijo.

Los hombres, sin embargo, se resistieron a entregársela, así que la discusión se prolongó durante mucho tiempo. Al final, Zeus propuso que fuese Prometeo quien decidiera cómo debía repartirse el buey.

—Prometeo es sabio y justo —dijo—, y encontrará la solución más adecuada. Los demás aceptaremos su decisión y, en adelante, todos los animales serán repartidos tal y como Prometeo disponga.

Prometeo pertenecía a la raza de los titanes, que habían sido engendrados antes incluso que los dioses. Todo el mundo lo admiraba por su sabiduría y astucia. No sólo podía prever el futuro, sino que dominaba todas las ciencias y todas las artes: la medicina y las matemáticas, la música y la poesía… Su mente era poderosa y veloz como un caballo al galope. Cuando Zeus le expuso el dilema del reparto del buey, Prometeo se sentó a meditar y entabló en su conciencia un largo diálogo consigo mismo.

—Es natural que los hombres se resistan a entregar la carne —se dijo al principio—. Son ellos quienes han criado al buey, y tienen derecho a quedarse con la mejor porción.

—Sí, Prometeo —se contestó a sí mismo—, pero olvidas que los dioses son codiciosos y egoístas. No aceptarán que los hombres se queden con la carne…

—Pero los dioses no la necesitan... Beben néctar a todas horas, y disponen de ambrosía para llenar su estómago. En cambio, los hombres han de comer para sobrevivir...

—Si les entregas la carne a los hombres, Zeus se enojará.

—Entonces, hay que conseguir que Zeus crea que la decisión de quedarse con los huesos la ha tomado él mismo...

Prometeo ideó enseguida la trampa que necesitaba. Luego, despellejó el buey, lo descuartizó y dividió los restos del animal en dos grandes montones. Cuando todo estuvo listo, llamó a Zeus y le dijo que eligiese el montón que prefiriera.

—Escoge bien —le advirtió—, porque ya sabes que, en adelante, todos los animales que sacrifiquen los hombres se repartirán del mismo modo que este buey.

Prometeo dijo aquellas palabras con la cabeza baja, para evitar que Zeus reconociera en sus ojos el brillo temeroso del engaño. Zeus miró los dos montones. Uno le pareció gris y poco apetitoso, mientras que el otro le atrajo por su brillante aspecto. Así que no tuvo que pensárselo mucho. Señaló el montón resplandeciente y dijo:

—Ése es para nosotros.

Hermes, el hijo de Zeus, se hallaba presente en la conversación.[3] Como era experto en idear trampas, no resultaba fácil engañarle. Se acercó al oído de Zeus y le dijo en un susurro:

—No te precipites, padre. Hay algo extraño en este reparto... ¿No has visto que Prometeo ha agachado la cabeza al hablarte? Él siempre mira a la cara...

---

3 El dios Hermes suele actuar como mensajero de los otros dioses, y es el protector de los viajeros y los mercaderes, así como de los ladrones y los mentirosos.

—Soy el padre de los dioses —replicó Zeus—, así que es lógico que Prometeo me tenga algo de miedo. No es el primero que agacha la cabeza al mirarme. Y te aseguro que no será el último.

Luego, Zeus, volvió a dirigirse a Prometeo, señaló el montón que le apetecía y dijo:

—¡Nos lo llevamos!

Zeus no tardó en advertir el gran error que había cometido. Sucedía que Prometeo había puesto en un montón la carne y las vísceras del buey, y luego lo había tapado todo con el estómago, que es la parte más sosa del animal. En el otro montón, había colocado los huesos y los tendones, pero los había cubierto con la grasa, cuyo brillo despierta el apetito. Zeus, por supuesto, había elegido este último montón. Así que, cuando llegó a la cima del Olimpo y descubrió el engaño, se volvió loco de rabia.

—¡Prometeo se ha burlado de mí! —rugió, y su cólera se notó en la tierra, porque el cielo se llenó de rayos—. ¡Pero voy a vengarme, ya lo creo! De ahora en adelante, los dioses nos conformaremos con la piel y los huesos de los animales, ¡pero los hombres tendrán que comerse la carne cruda!

En efecto, aquel mismo día, Zeus les robó el fuego a los hombres para que tuvieran que comerse los alimentos crudos. Sin fuego, la vida en la Tierra se volvió insoportable. Los hombres no podían hacer nada contra el frío glacial que les helaba las manos ni contra el miedo a la oscuridad que los atormentaba de noche. Prometeo, al verlos sufrir tanto, se conmovió.

«Pobre gente», se dijo, «he de ayudarles de alguna manera».

Al día siguiente, Prometeo subió al monte Olimpo y, sin que nadie lo viera, acercó una pequeña astilla al fuego que Zeus les había arrebatado a los hombres y la guardó en una cáscara de nuez. De regreso a la Tierra, encendió con aquella astilla una antorcha y se la regaló a los hombres para que pudieran calentarse de nuevo. Pero, cuando Zeus vio desde el Olimpo que el fuego volvía a arder en la Tierra, su furia no tuvo límites.

—¡Prometeo nos ha vuelto a engañar! —bramó—. ¡Nos ha dejado en ridículo delante de toda la humanidad!

Zeus se vengó entonces por partida doble. Primero castigó a los hombres enviándoles a una mujer llamada Pandora, de la que os hablaré más adelante. Luego, mandó que encadenaran a Prometeo a una de las montañas del Cáucaso, cerca del mar Negro. Allí, el titán pasó miles de años sin poderse mover, soportando a cielo abierto el frío intenso de la noche y el calor asfixiante del día. Cada mañana, Zeus enviaba una feroz águila al Cáucaso para que le comiese el hígado a Prometeo, y cada noche el hígado se regeneraba por sí mismo, para que el águila pudiese devorarlo de nuevo al amanecer. La vida de Prometeo, pues, se convirtió en un auténtico infierno, pero Zeus siempre pensó que el castigo era justo, pues no había falta más grave que engañar a los dioses.

La caja de Pandora

Un día, poco antes de enviar a Prometeo al Cáucaso, Zeus bajó del Olimpo para visitar a su hijo Hefesto. Hefesto era herrero, y trabajaba en una oscura cueva subterránea situada en la soleada isla de Lemnos.[1] Su fragua[2] era lo más parecido al infierno. El fuego estaba siempre encendido, y el hierro al rojo vivo irradiaba un calor insoportable. Y, sin embargo, Hefesto se sentía muy a gusto en aquel lugar, donde trabajaba sin descanso, día y noche, fabricando cadenas para los presos, herraduras para los caballos, cascos y espadas para los guerreros… En realidad, Hefesto utilizaba el trabajo para aislarse de los otros dioses, que se burlaban de él porque era feo y cojo. Nunca recibía visitas, así que se quedó de lo más sorprendido el día en que Zeus entró en su fragua.

—¿Qué te trae por aquí, padre? —preguntó.

Zeus tenía la mirada ausente. Parecía perturbado por un grave disgusto.

—Prometeo nos ha engañado de nuevo —dijo—. Primero, nos dejó sin carne, y ahora ha subido en secreto al Olimpo y les

---

1 Hefesto era el dios griego del fuego y de la herrería; Lemnos es una isla del mar Egeo, situada cerca de Turquía.

2 *fragua*: taller donde trabaja el herrero, calentando los metales con fuego para darles forma.

ha devuelto el fuego a los hombres… ¡Nos ha dejado en ridículo! Pero voy a demostrarle hasta dónde llega nuestro poder. Les daré un escarmiento a los hombres que nunca olvidarán. ¿Quieres ayudarme, Hefesto?

—Naturalmente, padre. Dime: ¿qué debo hacer?

—Quiero que crees a una mujer.

—¿A una mujer?

En aquel tiempo, ya existían las diosas, pero la Tierra aún no había sido pisada por ninguna mujer.

—La utilizaré para vengarme de los hombres —explicó Zeus.

—¿Y cómo quieres que sea?

—Ha de ser muy hermosa. Fíjate en Afrodita y hazla como ella.

Afrodita era la diosa del amor, y poseía una belleza perfecta. Saltaba a la vista que cualquier mujer que se le pareciera despertaría grandes pasiones entre los hombres. Hefesto, pues, modeló una figura con arcilla a imagen y semejanza de Afrodita. Empleó toda la fuerza de sus grandes manos para dar forma al tronco, a la cabeza, a los brazos y a las piernas, y luego fue modelando los finos labios, el largo cuello, la espesa melena… La belleza de la criatura era tan deslumbrante que Zeus, sentado en la sombra, quedó impresionado.

—Se llamará Pandora —le dijo a Hefesto—, porque llevará en sí todos los dones imaginables.[3]

Entonces, Hefesto se inclinó sobre Pandora con la intención de soplarle en la boca, pues así era como se les infundía a los hombres el aliento de la vida. Pero Zeus lo detuvo.

---

3 *Pandora*, en griego, significa 'llena de dones'.

—Espera, Hefesto —dijo—: una criatura perfecta merece el soplo perfecto.

Entonces, Zeus llamó a los cuatro vientos: el del norte, que traía el frío; el del sur, que traía el calor; el del este, que traía las penas y las alegrías; y el del oeste, que traía palabras, muchas palabras. En cuanto los vientos soplaron sobre Pandora, la criatura empezó a moverse. Luego, Zeus convocó a los dioses y les dijo:

—Quiero que le concedáis a esta mujer todos los dones que pueda tener un ser humano.

Durante todo un día, los dioses desfilaron por la fragua de Hefesto para concederle a Pandora los más variados dones: dulzura y gracia, inteligencia y picardía, habilidad para tejer y labrar la tierra, fertilidad para dar a luz muchos hijos, buena voz para cantar, una sonrisa amable que inspiraba confianza… Cuando Pandora hubo recibido todos los dones, Zeus le dijo:

—Ahora ya estás preparada para ir junto a los hombres. Pero antes debo entregarte mi regalo… Míralo.

Zeus sacó una preciosa caja de oro y se la tendió a Pandora.

—Es muy bonita… —dijo ella—. ¿Qué hay en el interior?

—Es mejor que no lo sepas, Pandora. Ahora prométeme que nunca, bajo ningún concepto, abrirás esta caja.

—Lo prometo.

—Tienes mi bendición, Pandora —dijo Zeus, y tocó con suavidad la cabeza de la joven—. ¡Ah, se me olvidaba! Quiero hacerte un último regalo…

Entonces, Zeus hinchó sus pulmones de aire y sopló sobre el cuerpo de Pandora. De ese modo, le proporcionó un último don, el más peligroso de todos: la curiosidad.

Luego, Hermes, el mensajero de los dioses, condujo a Pandora hasta la Tierra, y la dejó a las puertas de la casa del titán Epimeteo. Epimeteo era el hermano de Prometeo, pero no se le parecía en nada. Mientras que Prometeo era hábil y astuto, Epimeteo destacaba por su torpeza y su ingenuidad. Cuando Epimeteo vio a Pandora, quedó tan deslumbrado por su belleza que decidió casarse de inmediato con ella.

—No lo hagas —le dijo Prometeo.

—¿Por qué no? —replicó Epimeteo—. ¿Qué hay de malo en casarse con una mujer? La soledad, hermano, es una carga muy pesada, y estoy seguro de que Pandora me alegrará la vida…

—Esa muchacha es un regalo de los dioses, y los dioses nos detestan desde que les robé el fuego.

—¿Quieres decir que Pandora es un castigo? ¡Menudo disparate! ¿Cómo va a ser un castigo una mujer tan hermosa, que canta como los pájaros y me mira con tanta dulzura?

—Te olvidas de que puedo ver el futuro —concluyó Prometeo—, y sé que Pandora no nos traerá nada bueno.

Epimeteo, sin embargo, estaba tan enamorado que no hubo forma de hacerle cambiar de opinión. A los pocos días se casó con Pandora, y fue feliz con ella durante cierto tiempo. Con los dones que había recibido de los dioses, Pandora llenó la casa de su marido de bonitos tejidos y plantó en su jardín las más hermosas flores. A todas horas se oían risas y cantos en aquel hogar afortunado. Pandora aprovechaba cualquier ocasión para acariciar a su esposo y dirigirle tiernas miradas, así que Epimeteo no podía pedirle nada más a la vida. Pandora, en cambio, no lograba ser feliz del todo, porque, noche y día, oía en su interior una voz que preguntaba sin descanso:

—¿Qué habrá en la caja de oro? ¿Que habrá en la caja de oro?

La invisible avispa de la curiosidad se había apoderado del alma de Pandora, y zumbaba en sus oídos con virulencia:

—¿Qué habrá en la caja de oro? ¿Que habrá en la caja de oro?

Antes de dejarla partir, Zeus le había colgado a Pandora una cadena de oro al cuello. La joven la miraba de continuo, con cierta ansiedad, pues de la cadena colgaba una llavecita dorada que servía para abrir la caja de oro. Más de una vez, Pandora estuvo a punto de descolgar la llave y abrir la caja, pero siempre acababa por decirse: «No, no puedo hacerlo. Le prometí a Zeus que jamás abriría esa caja».

Sin embargo, llegó un día en que Pandora no pudo aguantar más. Su curiosidad era tan fuerte que ni siquiera podía dormir, así que cedió al fin a la tentación y abrió la caja. Al instante, sonó un zumbido atronador, como el de un enjambre de miles de abejas enloquecidas. Pandora comprendió que había cometido un grave error. Y es que Zeus había encerrado en aquella caja todas las desgracias que arruinan la vida de los seres humanos: la fealdad y la mentira, la tristeza y la angustia, el odio furibundo, el trabajo inútil que agota y no sirve de nada, la peste que mata a hombres y bestias… Pandora no levantó la tapa de la caja más que un poquito, pero fue suficiente para que salieran al mundo todas las desgracias. Empujadas por los vientos, la maldad, la

mentira y la enfermedad alcanzaron todas las casas de la Tierra, y enseguida empezaron a oírse gemidos de dolor y llantos de lástima.

Era lo que Zeus esperaba: su venganza acababa de completarse. Desde las alturas del Olimpo, el dios sonrió y dijo con solemnidad:

—Ahora los hombres comprenderán de una vez para siempre que no se debe engañar a los dioses.

La Tierra habría quedado completamente aniquilada de no haber sido por la última cosa que salió de la caja: un leve aliento, una bendición. Hefesto la había colocado a escondidas en el fondo de la caja, porque amaba a Pandora, que era su creación, y no quería verla morir. Aquella bendición era la esperanza. Movidos por ella, los hombres decidieron seguir adelante a pesar de todas las desgracias. No importaba lo mucho que tuvieran que sufrir: los hombres conservarían siempre la esperanza en una vida mejor, en la que no existieran el dolor ni la pena, la guerra ni la muerte.

Deucalión y Pirra

Cuando Pandora abrió su caja, los hombres empezaron a guerrear entre sí. Se libraron batallas en campos y ciudades, y se derramó sangre en todos los rincones de la Tierra. Zeus, indignado, fulminó con sus rayos a cientos de personas, para advertirles de que debían abandonar toda violencia. Pero los hombres no hicieron caso. Entonces, Zeus oscureció el cielo y bramó:

—¡Puesto que sois bárbaros como animales, os borraré de la faz de la tierra! ¡Que el agua inunde el mundo hasta que no quede nadie con vida!

La tierra quedó a oscuras, y durante nueve días y nueve noches, llovió sin pausa. Hasta aquel momento, las aguas habían sido plácidas: el ancho mar se mecía con suavidad, los lagos parecían dormir un sueño profundo y los ríos discurrían serenos hacia la inmensidad del océano. Pero, con el diluvio, el mar se volvió bravo y peligroso, los ríos arrasaron pueblos y ciudades, y la tierra entera quedó sumergida bajo un profundo manto de agua.

Sólo dos personas lograron sobrevivir: Deucalión y Pirra, que eran marido y mujer. Deucalión era hijo del titán Prometeo. Un día, había ido a visitar a su padre al Cáucaso, y había llorado al verlo encadenado, a la espera del águila que habría de escarbarle en el costado para comerle el hígado. Como podía prever el fu-

turo, Prometeo había conocido a tiempo las terribles intenciones de Zeus, así que avisó a Deucalión de la gran catástrofe que se avecinaba.

—Zeus va a sepultar la tierra bajo el agua —le dijo—, y la humanidad entera desaparecerá, pero tú podrás salvarte si sigues mis consejos… Tienes que construir un arca[1] y, en cuanto empiece el diluvio, te embarcarás en ella con tu esposa.

Deucalión siguió las instrucciones de su padre. Construyó el arca, la llenó de alimentos y, en cuanto empezó el diluvio, se embarcó con su esposa. Durante nueve días y nueve noches, los dos navegaron bajo la lluvia implacable, en medio de una profunda oscuridad. A veces, el viento formaba grandes remolinos en el agua, y Deucalión y Pirra tenían que abrazarse a la proa[2] del barco para no caer por la borda.

Al fin, la lluvia cesó, los ríos volvieron a su cauce y el mar recobró la calma. En el horizonte asomó entonces la cima del monte Athos,[3] y fue allí donde Deucalión atracó el arca, y donde esperó durante semanas a que las aguas desbordadas se evaporasen. Cuando la tierra volvió a ser visible, Deucalión y Pirra descendieron del monte Athos en busca de algún ser humano, pero no encontraron a nadie. Al ver que el mundo estaba vacío, Pirra se echó a llorar.

—Cálmate —le dijo su esposo—. Rezaremos a los dioses y nos protegerán.

Al pie del Athos había un templo consagrado a Temis, la diosa de la justicia. Por supuesto, se hallaba abandonado: el suelo

---

1 *arca*: especie de barco.
2 *proa*: parte delantera de un barco.
3 El Athos es una zona montañosa situada en el noreste de Grecia.

estaba cubierto de fango y ramas mojadas. Pero seguía siendo un lugar santo, y Deucalión y Pirra se arrodillaron ante el altar. Con voz humilde, Deucalión preguntó:

—Dinos, Temis, tú que has dictado las leyes eternas, ¿volverá a haber hombres y mujeres en el mundo?

La respuesta tardó en llegar, como si la misma diosa ignorase la respuesta a aquella ansiosa pregunta. Pero, después de una larga espera, la voz solemne de Temis resonó en el santuario para decir:

—Si queréis repoblar el mundo, arrojad a vuestras espaldas los huesos de vuestra madre. De los huesos que tires tú, Deucalión, nacerán hombres, y de los que lances tú, Pirra, nacerán mujeres. Pero tenéis que arrojar los huesos con los ojos tapados, pues no os corresponde ver un prodigio tan asombroso…

Cuando Temis calló, Pirra exclamó escandalizada:

—¡Ha dicho que lancemos los huesos de nuestra madre!

Deucalión se había quedado pálido.

—Así es —dijo, tan desconcertado como su esposa.

—¡Pero no podemos violar la sepultura de nuestras madres! —advirtió Pirra—. ¡Es un sacrilegio![4]

—¿Y qué podemos hacer? —replicó Deucalión con voz tristísima—. Nuestra obligación es obedecer a los dioses…

—¡No digas locuras, Deucalión! ¡Si desenterramos a nuestros antepasados, el espíritu de los muertos nos atormentará sin descanso!

Deucalión y Pirra salieron del templo cabizbajos y desconcertados. ¿Qué podían hacer? Si no obedecían a Temis, los dioses se

---

4 *sacrilegio*: falta de respeto hacia una cosa sagrada.

enojarían y, si obedecían, enojarían a los muertos. Parecía que, hicieran lo que hicieran, iban a equivocarse. Abatidos, Deucalión y Pirra echaron a caminar. Avanzaban sin rumbo, pisando el manto de lodo que les llegaba hasta los tobillos. Deucalión, aturdido por las palabras de Temis, iba pensando en voz alta, con la vista clavada en el suelo.

—Es imposible que los dioses nos hayan aconsejado un crimen —decía—. Las cenizas de los muertos son sagradas, e incluso en las guerras se le concede de vez en cuando una tregua al enemigo para que pueda enterrar a sus difuntos. No, seguro que Temis quería decirnos algo que no hemos entendido... Los huesos de nuestra madre tienen que ser...

De pronto, Deucalión lo comprendió todo.

—¡Ya sé lo que ha querido decir Temis! —exclamó, loco de contento, y arrancó un jirón de su túnica⁵ y lo partió en dos—. Ten, véndate los ojos con esto —le dijo a su esposa—, y luego agáchate, recoge una piedra y arrójala a tu espalda por encima de los hombros.

Pirra obedeció sin entender. Se vendó los ojos, se agachó y empezó a palpar la tierra a ciegas. Deucalión hizo lo mismo, y enseguida reconoció por el tacto una roca del tamaño de un puño. Entonces, se puso en pie y lanzó la piedra a su espalda, por encima de su hombro.

El milagro fue inmediato. Al hundirse en el barro, la roca se reblandeció y comenzó a crecer como si tuviera vida propia, igual que una escultura que emerge de la piedra. Alcanzó la al-

---

5 *jirón*: pedazo de tela; *túnica*: especie de manto largo con el que se vestían los hombres y mujeres de Grecia, Roma y otras civilizaciones antiguas.

tura de un hombre, y entonces empezó a cobrar forma: aparecieron el tronco y la cabeza, los brazos y las piernas, la boca y los ojos. Deucalión no pudo verlo, pero se alegró al pensar que, a sus espaldas, había nacido el primer hombre del nuevo mundo.

Una tras otra, Deucalión y Pirra fueron arrojando cientos de piedras a sus espaldas. Las rocas que recogían eran, en efecto, los huesos de la Tierra, que es la madre de todos los hombres. De las piedras que arrojaba Deucalión nacían varones, y de las que tiraba Pirra nacían mujeres. Las piedras blancas originaban hombres blancos, y las negras hombres negros; las piedras pesadas se convertían en personas robustas, y las ligeras en personas delgadas. En poco rato, pues, la playa se llenó de hombres y mujeres, de niñas y niños, unos feos y otros agraciados, unos alegres y otros melancólicos. De ese modo, Deucalión y Pirra crearon la segunda humanidad, que pobló el mundo en poco tiempo y lo llenó de alegrías y tristezas, rencores y amistades, esperanzas y fracasos.

Apolo y Dafne

A los dioses les pasa lo mismo que a los hombres: jamás olvidan su primer amor. Así que no importaba cuántos años pasasen: el dios Apolo nunca podría borrar de su memoria a la bellísima Dafne, la ninfa que lo había enamorado en su juventud.[1]

Apolo era el dios de la poesía y la música. Cuando conoció a Dafne, acababa de matar a la serpiente Pitón, un monstruo descomunal que tenía su guarida en una oscura cueva de la región griega de Tesalia. Pitón era una bestia sanguinaria que andaba en busca de carne a todas horas. Mataba a las ovejas de los rebaños, a las vacas que pastaban en los valles, a los pastores que echaban la siesta a la sombra de los árboles y a las niñas que se bañaban en los arroyos. Desesperados, los hombres suplicaron a los dioses que los librasen de aquella pesadilla, y entonces Apolo viajó hasta Tesalia, se situó ante la cueva de Pitón y acribilló[2] a la bestia con una lluvia de flechas. Pitón intentó defenderse, pero fue en vano, y perdió la vida sobre un charco de sangre.

Tras aquella hazaña, Apolo se volvió terriblemente orgulloso: se pasaba la vida hablando bien de sí mismo y presumiendo de la valentía que había demostrado al enfrentarse a Pitón.

---

1 En la mitología griega, las *ninfas* son divinidades que tienen apariencia de muchachas y que habitan en las cuevas, los bosques, los ríos, las fuentes…

2 *acribillar*: causar numerosas heridas a una persona o animal.

—Soy el mejor arquero del mundo —repetía a todas horas.

Lo peor fue que Apolo, a fuerza de quererse tanto a sí mismo, empezó a despreciar a los demás. Un día, se cruzó en uno de los bosques de Tesalia con el pequeño Eros, el dios del amor, y acabó discutiendo con él. Eros tenía la apariencia de un chiquillo inocente, que volaba de aquí para allá con sus pequeñas alas. Encargado de propagar el amor por el mundo, se dedicaba a lanzar flechas al corazón de la gente, con las que despertaba grandes pasiones. Las disparaba con un arco diminuto, porque, como Eros era un niño, no tenía fuerzas para levantar un arco de tamaño normal. El caso

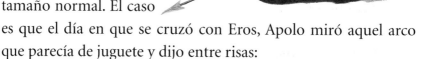

es que el día en que se cruzó con Eros, Apolo miró aquel arco que parecía de juguete y dijo entre risas:

—¡Es el arma más tonta que he visto en mi vida! ¿Para qué la usas, para matar mariposas?

—¿Mariposas? —replicó Eros, indignado—. ¡Eres muy gracioso, Apolo, pero ándate con ojo, no sea que algún día tengas que pagar por tus burlas! Tal vez no he matado a ninguna serpiente con mi arco, pero deberías saber que mis flechas han enloquecido de amor a hombres y dioses.

—¡Menuda hazaña! —se carcajeó Apolo—. Si dependiera de tus flechas, Pitón aún andaría por aquí matando rebaños…

—Yo en tu lugar no despreciaría el poder de mi arco, Apolo. ¿O es que no sabes que el amor ha movido a los reyes a librar guerras sanguinarias? ¿Es que no te han dicho que, por amor, los poetas han escrito sus mejores versos y algunas mujeres han llorado de pena hasta desgarrarse el corazón? Dime, Apolo, ¿podrías enloquecer tú a alguien con tus flechas? ¿O lograr que un hombre saltara de alegría? ¿O que se arrojara al mar por pura desesperación?

Apolo respondió con una mueca de desprecio.

—Déjate de palabrería, muchacho —dijo—, y apártate de mi camino, que tengo prisa.

El pequeño Eros enrojeció de rabia. Echó a volar para quitarse de enmedio, pero, desde el cielo, le lanzó a Apolo una severa advertencia.

—¡Recordarás toda tu vida este momento! —le dijo—. ¡Juro por el padre Zeus que tendrás tu merecido!

Eros cumplió su amenaza. Para vengarse de Apolo, se valió del arma que mejor conocía: el amor. Aquel mismo día, lanzó dos flechas desde el aire: una de oro y otra de hierro. La de oro tenía la punta de diamante y servía para enamorar a la gente, mientras que la de hierro estaba rematada con una punta de plomo y provocaba un rechazo absoluto del amor. Eros lanzó la flecha de oro contra el corazón de Apolo, y disparó la de hierro contra el pecho de Dafne, una de las ninfas más hermosas de Tesalia. Como los dos flechazos fueron indoloros, ni Apolo ni Dafne se dieron cuenta de que sus vidas estaban a punto de cambiar para siempre.

Hasta aquel día, Apolo ni siquiera se había fijado en Dafne. Para él, era una ninfa más, a la que a veces veía cazando por el monte o bañándose en el río. En cambio, desde que recibió el flechazo de Eros, no pudo quitársela de la cabeza. Se pasaba todo el día pensando en ella, y abandonó la caza y el canto, a los que solía dedicar la mayor parte de su tiempo. Lo único que le apetecía era contemplar a Dafne, pues su corazón ardía de amor igual que la paja arde en el fuego. Dafne, en cambio, no quería saber nada de Apolo, y cada vez que lo veía, echaba a correr o se escondía entre los árboles, porque su misma presencia le hacía sentir incómoda. Llegó un día, sin embargo, en que no pudo esquivar a Apolo, y el dios aprovechó la ocasión para pedirle que se casara con él.

—Jamás me casaré —dijo Dafne—: el amor no me interesa.

—¿Es que un dios como yo te parece poca cosa?

—No es que desprecie tu amor, Apolo: es que no quiero el amor de nadie. Nací libre, y me he propuesto permanecer libre hasta el fin de mis días.

A pesar de aquella negativa, Apolo no perdió la esperanza. Ni siquiera parecía disgustado, pues ¿cómo iba a molestarse con una muchacha a la que amaba con locura? Miraba los ojos de Dafne, y no podía creerse que fuesen tan bellos; se fijaba en sus manos, y le parecía imposible concebir otras más delicadas. Todo en Dafne le gustaba: su largo cuello y su espesa melena, sus dientes blancos y sus labios de un rojo encendido, sus ojos oscuros y su piel del color de la nieve. Se moría por abrazarla, por acariciar sus mejillas, por cubrirla de besos… Dafne reparó en los ojos de Apolo y, de repente, tuvo miedo, porque descubrió en ellos la mirada de un ser obsesionado con una sola idea. Pensó que Apolo sería capaz de cualquier cosa con tal de abrazarla, y se asustó tanto que echó a correr por el bosque.

—¡No te vayas, Dafne —gritó Apolo—, no quiero hacerte daño!

Pero Dafne se perdió de vista enseguida. Apolo echó entonces a correr tras la ninfa igual que el lobo tras el cordero. Durante la carrera, Dafne le pareció más hermosa que nunca, pues el viento desnudaba sus hombros, agitaba su túnica y formaba graciosas ondas en su larga melena. Dafne corría tan aprisa que, en cierto instante, se creyó a punto de perder el aliento. Las zarzas del bosque le arañaban los tobillos, y los guijarros del suelo se le clavaban en los pies, pero no notaba el dolor, porque lo único que sentía era un miedo terrible. Tenía que correr, huir, ponerse a salvo, pues estaba segura de que, si se detenía, Apolo se lanzaría sobre ella, loco de amor.

—¡Dafne! —oyó decir.

La voz sonó en aquel momento más próxima que nunca. Dafne volvió la cabeza, y entonces vio que Apolo estaba a punto de rozarle el hombro. La ninfa palideció: prefería morir antes que soportar las caricias de Apolo, el calor de su aliento, la locura de sus ojos… Entonces Dafne vio que se acercaba a las orillas del río Peneo y pensó que allí se encontraba la única salvación posible.

—¡Padre, ayúdame! —gritó con todas sus fuerzas.

Dafne era hija de Peneo, quien, como todos los ríos, tenía poderes divinos. Podía, entre otras cosas, prever el futuro y transformar a las personas en bestias.

—¡Ayúdame, padre, por piedad! —repitió Dafne.

Peneo arremolinó sus aguas, alarmado. Llevaba algún tiempo disgustado con su hija, porque ella se negaba a casarse y a darle nietos, pero no dudó en prestarle su ayuda, pues la quería con toda su alma. De repente, Dafne dejó de correr, y su cuerpo se volvió rígido como una piedra. Una fina costra cubrió su pecho

y endureció su vientre, sus blancos brazos se convirtieron en ramas, y su larga cabellera se transformó en una copa de espesas hojas. De sus pies nacieron raíces que se hundieron en la tierra, y su rostro, su bello rostro de rosadas mejillas, se transformó en una dura corteza. Peneo había pensado que la mejor manera de salvar a su hija era despojarla de su forma humana, así que había convertido a Dafne en un laurel, en el primer laurel que existió en el mundo.

Cuando Apolo vio lo que había pasado, rompió a llorar como un niño. Ya no importaba cuánto amor le ofreciese a Dafne: ella nunca podría corresponderle. Roto de dolor, Apolo acarició las hojas del laurel, besó sus ramas y abrazó su recio tronco, y entonces le pareció que el árbol temblaba entre sus manos.

—Nunca te olvidaré, Dafne —dijo con voz tristísima—. Ya no podrás ser mi esposa, pero en adelante serás mi árbol.

Y así fue. Desde aquel día, la cítara y la aljaba[3] de Apolo permanecieron colgadas de las ramas del laurel, y el dios decidió convertir aquel árbol en un símbolo de gloria, así que dispuso que las hojas del laurel sirvieran para coronar a los generales victoriosos y para honrar a los grandes poetas.[4]

3 *cítara*: instrumento musical de cuerda parecido al laúd; *aljaba*: caja portátil que sirve para llevar las flechas a cuestas.
4 El mito de Dafne ofrece una explicación legendaria a una costumbre que se mantuvo en Europa durante siglos, y que consistía en premiar con una corona de laurel a los militares, atletas o poetas destacados. De hecho, *Dafne*, en griego, significa 'laurel'.

Hércules y la hidra de Lerna

En aquel tiempo remoto en que los dioses se aparecían de continuo ante los ojos de los seres humanos, abundaron los héroes, hombres excepcionales que ponían su fuerza, su coraje y su astucia al servicio de los demás. Entre todos ellos, ninguno fue tan admirado como Hércules, de quien se decía que habría podido vencer a un ejército de miles de soldados sin ayuda de nadie. Enérgico y corpulento, Hércules era insuperable en la lucha, en la caza y en el manejo de las armas. Siendo un recién nacido, ya dio pruebas de su fuerza descomunal el día en que un par de serpientes se deslizaron en su cuna para darle muerte. Lejos de asustarse, Hércules las agarró con sus recias manos, les apretó el cuello hasta estrangularlas y las entrelazó para formar con ellas una siniestra trenza.

Fueron muchas las ocasiones en que Hércules salvó al mundo de un serio peligro. Él fue, por ejemplo, quien acabó con la hidra del pantano de Lerna, un monstruo nacido en los infiernos que tenía más de cincuenta cabezas, semejantes a serpientes de afilados colmillos. La hidra se alimentaba de ovejas y vacas, y su aliento era tan venenoso que secaba las cosechas y causaba la muerte de todo el que lo respiraba. Por su fiereza y brutalidad, parecía un animal indestructible, pero Hércules viajó hasta el pantano de Lerna con el propósito de poner fin a su vida.[1]

Cuando llegó, la bestia dormía dentro de su guarida, en una cueva situada a orillas del pantano. Hércules la obligó a salir lanzando al interior de la cueva una docena de flechas a las que había prendido fuego, con lo que la atmósfera dentro de la gruta se volvió irrespirable. En cuanto la hidra apareció, se hizo evidente su furia asesina. Los cien ojos del monstruo brillaban como brasas, y sus cincuenta bocas lanzaban unos rugidos ensordecedores que habrían bastado para matar de terror a cualquiera. Hércules se defendió de la bestia con una lluvia de flechas, que en realidad no sirvió de nada, pues ninguna se clavó en el cuerpo de la hidra, ya que las escamas de su piel eran duras como rocas. El monstruo, pues, siguió avanzando, a tal velocidad y con tanta decisión que levantaba grandes oleadas de barro en el pantano. Enseguida, llegó a pocos pasos de Hércules, quien habría muerto en aquel mismo instante, envenenado por el aliento de la hidra, de no ser porque había tomado la precaución de taparse la nariz y la boca con un pedazo de tela.

En cuanto la hidra estuvo a su alcance, Hércules levantó la poderosa maza de olivo que llevaba siempre consigo y comenzó a golpear al monstruo con fiereza. Más de cien mazazos cayeron sobre sus cabezas, pero la bestia apenas se resintió. Hércules

---

1 Lerna era una región griega situada en la península del Peloponeso, en la que abundaban los manantiales y había un lago.

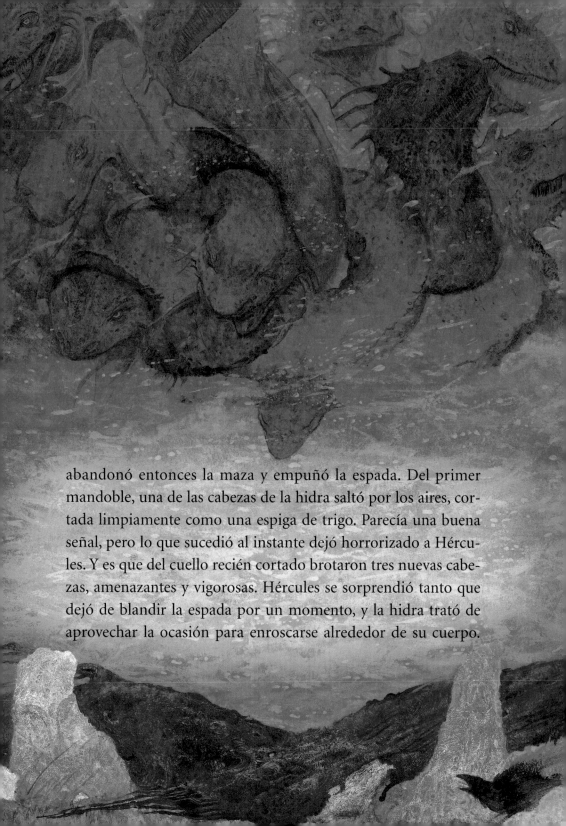

abandonó entonces la maza y empuñó la espada. Del primer
mandoble, una de las cabezas de la hidra saltó por los aires, cor-
tada limpiamente como una espiga de trigo. Parecía una buena
señal, pero lo que sucedió al instante dejó horrorizado a Hércules. Y es que del cuello recién cortado brotaron tres nuevas cabezas, amenazantes y vigorosas. Hércules se sorprendió tanto que
dejó de blandir la espada por un momento, y la hidra trató de
aprovechar la ocasión para enroscarse alrededor de su cuerpo.

El héroe, sin embargo, fue lo bastante ágil como para saltar hacia atrás en el momento preciso, y de esa manera se salvó de morir estrangulado.

Desde aquel instante, la lucha fue encarnizada. Hércules cortó una segunda cabeza, y el prodigio se repitió: del muñón[2] emergieron tres cabezas nuevas. Parecía increíble, pero cuanto más mutilaba[3] a la bestia, más fuerte y peligrosa se volvía. ¿De qué le servían el valor y la fuerza ante un monstruo tan terrible? ¿Qué podía hacer? ¿Acaso su destino era morir en aquel pantano, devorado por una bestia inmunda? Hércules estaba al borde de la desesperación. Por un momento pensó que la hazaña que había emprendido no estaba al alcance de sus posibilidades. Y su vida hubiera acabado allí mismo de no ser porque, en el momento menos pensado, el héroe oyó junto a sus oídos una voz que le susurraba:

—Busca la cabeza de oro…

Sin dejar de esgrimir su espada, Hércules miró de reojo a su alrededor y comprobó que no había nadie a su lado. ¿Quién había pronunciado aquellas palabras? ¿Acaso el miedo le hacía delirar?[4]

—Soy la diosa Atenea[5] —oyó entonces—, y he venido en forma de brisa para ayudarte. Si quieres acabar con la hidra, busca su cabeza de oro…

—¿Su cabeza de oro?

---

2 *muñón*: en este caso, 'parte del cuello que sigue unida al cuerpo tras el corte'.
3 *mutilar*: cortar una parte del cuerpo de una persona o animal.
4 *delirar*: tener alucinaciones.
5 Atenea, hija de Zeus, era la diosa de la inteligencia, las artes y la estrategia militar. Se la solía representar provista de una lanza y un casco y con una lechuza en el hombro que simbolizaba su sabiduría.

—Sí. Esa bestia tiene una cabeza de oro, que es la que la hace inmortal. Si se la cercenas,[6] la hidra dejará de respirar…

Hércules, sin abandonar la lucha, miró una por una las cabezas de la hidra, y en el primer momento, todas le parecieron idénticas. ¿Cuál podría ser la cabeza inmortal? ¿Cómo distinguirla, si todas eran igual de feroces? De pronto, sucedió algo decisivo. El monstruo giró en redondo y cambió así de posición con respecto al sol. Un rayo de luz iluminó entonces una cabeza situada en el centro de su cuerpo, que desprendía un brillo inconfundible: el brillo del oro. Entonces, Hércules levantó la espada con las dos manos y descargó un mandoble brutal sobre aquella cabeza.

El instante que siguió se le hizo eterno. El héroe notó los latidos de su propio corazón, y el cansancio acumulado en el brazo se le hizo insoportable. La cabeza de oro de la hidra saltó por los aires y cayó al pantano. Entonces, el monstruo lanzó un rugido ensordecedor, el último rugido de su vida, y se desplomó sobre el barro. Hércules había vencido, y en cuanto recobró las fuerzas, enterró la cabeza de oro bajo la roca más pesada que encontró, para asegurarse de que la hidra no volvería a ver jamás la luz del día.

---

6 *cercenar*: cortar por la base.

El rapto de Europa

En la cálida ciudad de Tiro, a orillas del Mediterráneo, reinaba un hombre llamado Agenor.[1] Tenía cinco hijos varones y una única hija: la hermosísima Europa. Europa tenía el rostro más delicado que pueda imaginarse, una sonrisa luminosa y una mirada tan dulce y suave como el tacto del terciopelo. Todo en ella era de una llamativa belleza: los brazos blancos como el marfil, los andares pausados, la risa sonora, la larga cabellera de rizos anaranjados que le llegaba hasta los tobillos… El rey Agenor sabía que una muchacha como Europa podía volver locos de amor a los hombres, así que no permitía que su hija fuese sola a ninguna parte. Él mismo, o alguno de sus hijos, la vigilaban de día y de noche. Así que, durante muchos años, ningún hombre ajeno a la familia pudo contemplar a Europa.

Los dioses, en cambio, sí podían verla, y el más poderoso de todos, Zeus, quedó fascinado por la belleza de Europa. De hecho, llegó a pensar tan a menudo en ella que acabó por obsesionarse con aquella muchacha: era como un adolescente aturdido por el fuego del primer amor. Soñaba con fundirse en un abrazo con Europa, pero no le parecía fácil conseguirlo. Zeus sabía, en

---

1 Tiro era una antigua ciudad costera de Oriente Próximo. Estaba situada en el actual Líbano, y hoy se la conoce con el nombre de Sür.

efecto, que, si se presentaba ante aquella joven a cara descubierta, haciéndose pasar por un hombre cualquiera, el padre y los hermanos de Europa le cerrarían el paso.

Europa, mientras tanto, llevaba una vida placentera, y dedicaba todo su tiempo al juego y los paseos. Un día en que estaba en la playa con sus amigas, recogiendo flores entre los matorrales, distinguió a lo lejos un rebaño de bueyes. Eran veinte o treinta animales de pelaje pardo, tan comunes que apenas llamaban la atención. Sin embargo, en un extremo de la manada había un toro que destacaba por su belleza: era corpulento y tan blanco como la nieve, y tenía un pelaje resplandeciente y unos cuernos en forma de media luna que brillaban como el oro.

—¡Mirad qué toro más hermoso! —exclamó Europa, y echó a correr hacia el animal.

—¡Ten cuidado! —le advirtieron sus amigas—. ¡Puede ser peligroso!

Pero Europa no hizo caso: se acercó al toro y comenzó a acariciarle el cuello. El animal parecía muy dócil,[2] pues se dejó tocar sin hacer el menor movimiento. Entonces, Europa les gritó a sus amigas:

—¡Venid, no seáis tan miedosas! ¡No os imagináis el pelo tan suave que tiene!

—¡No te acerques tanto! —replicaron las amigas—. ¡Ten cuidado, Europa, no sea que te haga daño!

Pero Europa no sentía miedo alguno.

—¿Qué daño me va a hacer? —dijo—. ¿No veis que es manso como un corderito?

---

2 *dócil*: manso, tranquilo.

Seducida por el toro, Europa lo abrazó con ternura, le colgó en el cuello una guirnalda de flores que acababa de tejer con sus propias manos y le susurró una canción al oído. Los hermanos de la joven lo estaban viendo todo, pero no se acercaron, porque pensaron que el toro era inofensivo. Al final, Europa se confió tanto que acabó por trepar al lomo del animal. El toro aceptó el juego, y comenzó a caminar a paso lento por la orilla del agua. Europa se reía, feliz de sentirse dueña de aquel animal tan poderoso. La escena era tan deliciosa que incluso las amigas de la joven se olvidaron del miedo y rompieron a reír.

Pero el peligro, aunque invisible, estaba presente, pues aquel toro no era lo que parecía. En realidad, se trataba de un dios metamorfoseado[3] en bestia: aquel toro era el mismísimo Zeus, que había decidido transformarse en un toro juguetón para acercarse a Europa y ganarse su confianza. Claro que el juego no era más que el primer paso: Zeus quería algo más, pues su corazón ardía en el fuego incontrolable del amor…

De repente, ocurrió algo inesperado. Un fuerte temblor sacudió la tierra y entonces el toro se lanzó como una flecha mar adentro, dejando un rastro de espuma tras de sí. Europa, asustada, se agarró con todas sus fuerzas a la espalda del toro. Pasado un instante, giró la cabeza para mirar atrás, y entonces vio que la playa quedaba ya muy lejos. Sus hermanos y sus amigas le estaban gritando alguna cosa, pero sus palabras resultaban inaudibles. «¿Qué será de mí?», se preguntó Europa, angustiada. Acababa de comprender que en aquel toro había algún engaño, y su corazón se llenó de terror.

---

3 *metamorfoseado*: transformado.

El toro se detuvo al llegar a Creta, una isla de altas montañas y fértiles[4] llanuras. Allí, cerca de una fuente, Zeus le reveló a Europa quién era él en realidad, y, bajo la sombra de los plátanos, la abrazó por vez primera y le descubrió todos los secretos del amor…

Europa tuvo tres hijos con Zeus y se quedó para siempre a vivir en Creta, pues el padre de los dioses le regaló la isla para que fuera la patria de sus hijos y sus nietos. En cuanto a Zeus, volvió pronto al Olimpo, pero siempre guardó un magnífico recuerdo de su romance con Europa. Y, para que quedara un testimonio eterno de su amor, colocó en el firmamento[5] unas cuantas estrellas dispuestas en forma de toro. Todavía hoy, cuando miramos al cielo por la noche, podemos ver esa resplandeciente figura, a la que los sabios llaman «constelación de Tauro».[6]

---

4 *fértiles*: que dan cosechas abundantes y muchos frutos.

5 *firmamento*: cielo.

6 Algunos mitos griegos explican de un modo legendario por qué ciertas constelaciones, es decir, conjuntos de estrellas, parecen formar un determinado dibujo. Si miramos al cielo y unimos las estrellas de la constelación de Tauro con una línea imaginaria, obtenemos un perfil semejante al de un toro, curiosidad que, según el mito, se debe a la voluntad de Zeus de que se recuerden eternamente sus amores con Europa.

Teseo y el laberinto de Creta

De los tres hijos que tuvo Europa, uno llegó a ser rey de Creta. Se llamaba Minos y era un hombre ambicioso, pues no se limitó a gobernar sobre su isla, sino que embarcó a menudo a su ejército con el propósito de conquistar territorios en la orilla norte del Mediterráneo. Atenas y Mégara, entre otras ciudades griegas, cayeron en sus manos, lo que convirtió a Minos en uno de los hombres más respetados y temidos de su época.

Minos había tenido dos hijas con su mujer, Pasífae. Aunque las quería con locura, su mayor deseo era tener un hijo varón para nombrarlo heredero de su imperio. Así que el día en que Minos supo que Pasífae estaba embarazada por tercera vez, una plácida sonrisa le iluminó la cara. Presintió que la criatura que venía en camino era el varón que tanto había deseado y se prometió que le daría una educación magnífica para que, cuando llegase a ser rey, se ganase el aprecio de todos los hombres y mujeres de Creta.

Sin embargo, cuando Pasífae dio a luz, la alegría de Minos se quebró en pedazos, pues el recién nacido no tenía nada que ver con el niño que el rey había soñado. Era un ser monstruoso, con cabeza de toro y cuerpo de hombre, al que pronto se le empezó a llamar «el Minotauro», 'el toro de Minos'. Cuando el rey lo vio por vez primera, se enojó tanto que se encaró con su esposa.

—¡Ese monstruo no puede ser hijo mío! —le gritó—. Responde, Pasífae: ¿con quién me has engañado?

Pasífae no tuvo más remedio que confesar la verdad. Llorando a lágrima viva, explicó que había tenido amores con un toro, un magnífico toro blanco al que había visto pastando en uno de los valles más verdes de Creta. Al oír aquello, Minos se quedó pensativo. Recordó la historia de su propia madre, que había llegado a Creta a lomos de un falso toro, y sospechó que tal vez el animal que había enamorado a Pasífae era en realidad un dios. Por eso mismo, descartó la idea de matar al Minotauro, pues temía provocar la ira de los dioses si llegaba a darle muerte. Ya más sereno, Minos le dijo a su esposa:

—Ese monstruo es una vergüenza para nuestra familia, así que lo esconderemos para que nadie pueda verlo.

Aquel mismo día, Minos mandó llamar a un arquitecto del que había oído hablar mucho. Se llamaba Dédalo, y era un inventor genial.

—Quiero que construyas un laberinto —le dijo Minos.

—¿Un laberinto? —preguntó Dédalo.

—Sí, un palacio con una distribución tan compleja que quien entre en él no encuentre jamás la salida.

Con su admirable ingenio, Dédalo levantó en Cnosos[1] un palacio único en el mundo. Estaba compuesto por miles de salas y pasillos comunicados entre sí, y uno podía caminar durante días por el interior de aquel edificio sin encontrar nunca la salida, pues siempre acababa por volver a estancias y corredores en los

---

1 Cnosos fue en la antigüedad la capital de Creta, y el lugar donde residía el rey de la isla.

que ya había estado. Sólo un dios, con su inteligencia ilimitada, podría haber descubierto el camino que llevaba a la salida.

Fue allí, en aquel edificio infernal, donde Minos encerró al Minotauro. Para que pudiese alimentarse, el rey obligaba todos los años a siete muchachas y siete muchachos a entrar en el laberinto, donde eran devorados por el monstruo. Las víctimas del Minotauro llegaban de las ciudades que Minos había conquistado en el norte, donde todo el mundo sufría el horror de aquel cruel impuesto de sangre.

El Minotauro llevaba nueve años dentro del laberinto cuando llegó a Creta un grupo de jóvenes procedente de Atenas. Entre ellos, se encontraba el propio príncipe de la ciudad, un muchacho muy apuesto y con fama de hombre valiente que se llamaba Teseo. A pesar de que su destino era morir devorado por el Minotauro, Teseo hizo el viaje hasta Creta con una entereza ejemplar que sorprendió a sus compañeros. Cuando uno de ellos le preguntó cómo podía estar tan tranquilo sabiendo que se dirigía hacia la muerte, Teseo le respondió:

—Porque confío en mí mismo. Sé que voy a derrotar al Minotauro y que regresaré con vida a Atenas.

Parecía una fanfarronada, pero para conseguir su propósito, Teseo no sólo contaba con su valor sin límites, sino también con el aliado imprevisto del amor.

Sucedió que, el día en que Teseo llegó a Creta, había una hermosa muchacha en el puerto. Era Ariadna, la hija mayor del rey Minos. En cuanto vio a Teseo, Ariadna notó que su corazón se aceleraba y tuvo la sensación de que necesitaba de aquel muchacho para ser feliz en la vida. Nunca antes había visto a un hombre tan hermoso como Teseo, y la entristeció saber que su destino era morir devorado por un monstruo.

Aquella noche, Ariadna no logró dormir, pues no hacía más que pensar en Teseo. De madrugada, cuando todo el mundo dormía, se cubrió con un manto y abandonó en secreto el palacio real de Cnosos. Unos minutos después, Dédalo oyó que llamaban a la puerta de su casa y, cuando salió a la calle, se quedó de lo más sorprendido. Era Ariadna.

—¿Qué os ocurre, princesa? —preguntó—. ¿Cómo es que venís a estas horas, y a solas? Pasad adentro, que la noche es fría.

Ariadna entró en la casa de Dédalo, y enseguida confesó el motivo de su visita: se había enamorado de Teseo y había tomado la determinación de salvarle la vida.

—Maestro —le dijo a Dédalo—, tú eres la única persona que puede ayudarme… Dime qué he de hacer para salvar a Teseo y te lo agradeceré hasta el fin de mis días. Piensa que si ese muchacho muere, yo también moriré de tristeza…

Dédalo no supo qué decir. El dolor y la ingenuidad de Ariadna lo enternecieron, pero pensó que no debía ayudarla.

—Si salvara a Teseo —dijo—, vuestro padre creería que lo he traicionado…

—Os lo ruego… —suplicó Ariadna, y se echó a los pies de Dédalo con los ojos bañados en lágrimas.

El dolor de la joven era, en fin, tan sincero y conmovedor que Dédalo acabó por ceder a su deseo. Le explicó a Ariadna que lo único que necesitaba Teseo para salvarse era un hilo de seda y una espada, y le contó paso a paso todo lo que debía hacer aquel muchacho para escapar con vida del laberinto.

Un rato después, protegida aún por la oscuridad de la noche, Ariadna visitó el calabozo donde Teseo estaba encerrado a la espera de que los soldados de Minos lo condujesen hasta el laberinto. Ariadna le entregó a Teseo un carrete de hilo de seda y una espada que tenía la hoja de oro, y le explicó cómo debía usar aquellas dos cosas. Teseo, conmovido, preguntó:

—Decidme, princesa, ¿cómo puedo agradeceros lo que estáis haciendo por mí?

No hizo falta que Ariadna dijese una sola palabra. Sus mejillas enrojecieron de tal modo que Teseo comprendió al instante que la joven estaba enamorada. Entonces, el príncipe le estrechó las manos y dijo con voz dulce:

—No sufráis, princesa. Saldré con vida del laberinto, y os llevaré conmigo a Atenas.

Al alba, los soldados de Minos fueron en busca de Teseo y lo condujeron a través de las calles de Cnosos hasta las puertas del laberinto. Teseo parecía contento, y en sus labios asomaba una leve sonrisa, así que muchos lo tomaron por loco.

—¿Cómo puede sonreír si se encamina hacia la muerte? —se preguntaba todo el mundo.

Una vez en el interior del laberinto, Teseo siguió las instrucciones que le había dado Ariadna. Primero, ató el cabo del hilo de seda a las puertas del laberinto, y luego, mientras avanzaba por el interior del palacio, fue desenrollando el carrete. De ese modo, cuando quisiera volver a la calle, no tendría más que enrollar de nuevo la seda en el carrete, y el hilo le mostraría el camino de la libertad.

Todo salió según lo previsto. Con su ejemplar valentía, Teseo se enfrentó al Minotauro y le dio muerte clavándole en el corazón la espada de oro, que deslumbró al monstruo con su brillo portentoso.

Al atardecer, cuando Teseo salió del laberinto, Ariadna estaba esperándolo, con la inquietud en el corazón y los ojos llenos de lágrimas. Los dos se besaron por primera vez y, dos horas más tarde, a la luz de la luna, se hicieron a la mar con rumbo a Atenas.

El vuelo de Ícaro

A veces, la fortuna de unos hombres trae consigo la desgracia de otros. Así, la victoria de Teseo sobre el Minotauro arruinó para siempre la vida de Dédalo. Y es que, cuando Minos supo que Teseo había escapado del laberinto y se había fugado de Creta en compañía de Ariadna, se enfureció tanto que acudió en busca de Dédalo y le dijo a gritos:

—¡Que los dioses te castiguen, maldito traidor! ¿Acaso no te pedí que construyeras un edificio del que nadie pudiera salir? ¡Me has fallado, Dédalo, y lo vas a pagar caro! ¡Hoy mismo te encerraré en el laberinto, y haré que tu hijo te acompañe para multiplicar tu sufrimiento! Supongo que sabrás cómo escapar del edificio, pero te aconsejo que no lo intentes, pues voy a dejar una pareja de guardianes vigilando la salida, y tendrán órdenes de cortaros la cabeza si os ven aparecer.

El hijo de Dédalo se llamaba Ícaro y estaba a punto de cumplir catorce años. Era un joven travieso y atrevido, de pelo rizado y sonrisa pícara, y tenía un carácter tan alegre que la gente de Cnosos lo adoraba. Todos los habitantes de la ciudad, pues, se apenaron mucho al saber que nunca más volverían a ver a Ícaro.

También Dédalo se quedó abatido por la tristeza. Entró en el laberinto cabizbajo, y pasó sus primeras horas de encierro sumido en un profundo silencio. No podía soportar la idea de que su hijo tuviera que vivir y morir allí dentro, así que se empeñó en encontrar como fuese una manera de salir de aquel edificio infernal. Su mente, fértil como un almendro en una eterna primavera, comenzó a barajar ideas, y al poco rato, Dédalo exclamó:

—¡Ya lo tengo! ¡Saldremos de aquí volando como los pájaros!

—No digas disparates, padre —replicó Ícaro con tristeza—. ¿Desde cuándo los hombres pueden volar?

—¿Es que no tienes confianza en mí, muchacho? ¡Vamos, alegra esa cara de una vez y ayúdame, que tenemos mucho trabajo por delante!

El laberinto llevaba nueve años en pie, y, en ese tiempo, la hierba había crecido en algunos pasillos, la lluvia había formado estanques en ciertos rincones, las abejas habían construido panales en las vigas, y se habían acumulado restos de animales aquí y allá. De manera que Dédalo no tuvo dificultades para encontrar los materiales que necesitaba para su invento. Trabajó sin descanso durante todo un día, y a la mañana siguiente le mostró a Ícaro dos pares de alas. Las había fabricado con unas cañas, unidas con cera y forradas con plumas. Entusiasmado, Dédalo exclamó:

—¡Vamos a ser los pájaros más extraños del mundo…!

Con ayuda de unas cuerdas, padre e hijo se ataron las alas a la espalda. Luego, dedicaron un buen rato a aprender a manejarlas, y al final consiguieron moverlas con tanta soltura como si hubieran nacido con ellas. Había llegado la hora de escapar del laberinto, y entonces Dédalo le advirtió a su hijo:

—Escúchame, Ícaro: no debes volar demasiado bajo, porque cuando lleguemos a mar abierto, las olas empaparían tus alas, y se volverían tan pesadas que caerías al mar.

Ícaro sonrió.

—No te preocupes, padre —dijo—: volaré lo más alto que pueda.

—No, hijo, tampoco debes volar demasiado alto… Si te acercas mucho al sol, el calor derretirá la cera que mantiene unidas las cañas, y tus alas se desharán. ¿Has entendido?

—Sí, padre.

—Entonces, emprendamos el vuelo. Y, sobre todo, no te apartes de mi lado pase lo que pase.

Ícaro empezó a batir las alas con rapidez, de arriba abajo, tal y como le había enseñado su padre. Su cuerpo se fue elevando, primero con lentitud y luego más aprisa, y cuando volvió la cabeza para mirar atrás por vez primera, el laberinto ya se veía pequeño como una miniatura. Dédalo, al ver que su hijo se alejaba, tomó impulso y echó a volar. Había decidido que viajarían lejos de Creta, en dirección al norte, donde había muchas islas en las que podrían empezar una nueva vida. Desde la tierra, los campesinos y los pescadores miraban llenos de asombro a aquellos dos pájaros tan grandes y extraños. Ícaro, llevado por el gozo de la ingravidez[1] y entusiasmado con la belleza del cielo, rompió a reír, y su risa sonó cristalina como el agua de un arroyo. Se sentía tan feliz que movía las alas cada vez con más fuerza, y volaba más y más alto: arriba, muy arriba, más arriba aún…

Dédalo, en cambio, tardó en acostumbrarse al milagro del vuelo. Durante un buen rato, se sintió incómodo, pues no dejaba de pensar que los hombres han nacido para tocar la tierra con los pies. Sin embargo, acabó por olvidarse de sus temores y,

---

1 *ingravidez*: capacidad de sostenerse en el aire.

mientras volaba, comenzó a soñar con la nueva vida que les esperaba allí donde el viento los llevase. Sonriente, giró la cabeza para mirar a su hijo, y de pronto una mueca de terror le deformó la cara. ¡Ícaro no estaba ni detrás ni delante, ni encima ni debajo! Dédalo lo buscó por todas partes, pero no consiguió encontrarlo. Al fin, fijó su vista en el mar y descubrió que el muchacho flotaba sobre el agua, inmóvil como un cadáver, de espaldas al cielo. A su alrededor vagaban las cañas de sus alas, dispersas. Roto de dolor, Dédalo comprendió la terrible verdad: su hijo, inconsciente y temerario[2] como todos los jóvenes, había confiado demasiado en su propia habilidad, había querido volar más alto que los pájaros, y el sol había castigado su soberbia[3] derritiéndole las alas para que se ahogara en el mar…

2 *temerario*: demasiado atrevido, imprudente.
3 *soberbia*: cualidad del que se cree superior a los demás, exceso de confianza en uno mismo.

Edipo y el enigma de la Esfinge

Los dioses del Olimpo eran muy severos con todo aquel que los defraudaba. Algunos, como Hera, tenían un carácter tan vengativo que no perdonaban jamás una ofensa.[1] En cierta ocasión, Hera decidió castigar a los habitantes de Tebas[2] por un crimen cometido en la ciudad, y se sirvió de la Esfinge para conseguirlo. La Esfinge era un monstruo colosal que había nacido en el corazón de África. Tenía cabeza y torso de mujer, patas de león, cola de serpiente y unas enormes alas de águila. Hera le ordenó que se apostara en un desfiladero situado en el camino de Tebas, por el que tenían que pasar por fuerza todos los que iban a la ciudad. En cuanto se acercaba un viajero, la Esfinge le cerraba el paso y le obligaba a detenerse.

—Si quieres seguir adelante —le decía con voz muy dulce—, deberás responder a un acertijo.

Al viajero lo invadía entonces un miedo atroz. Con un nudo en la garganta, preguntaba:

—¿Y qué pasará si no atino con la respuesta?

—Que no tendré más remedio que castigarte por tu completa ignorancia.

---

1 Hera, esposa y hermana de Zeus al mismo tiempo, era la diosa de los matrimonios y la protectora de los partos.
2 Tebas es una ciudad griega situada a unos 45 km al noroeste de Atenas.

La Esfinge, con la voz más dulce que pueda imaginarse, pronunciaba entonces su enigma, que decía así:

Sólo tiene una voz,
y anda con cuatro pies por la mañana,
dos al mediodía y tres por la noche.
Cuantos menos pies tiene, más veloz corre.
Si lo conoces, te ama, pero si no lo conoces,
lucha contra ti y te destruye.

Ante la enorme dificultad del enigma, el viajero empezaba a sudar y a temblar de miedo. Aunque hacía todo lo posible por encontrar la respuesta, los minutos pasaban en vano, pues el mismo terror le impedía pensar con claridad. La Esfinge, mientras tanto, esperaba impasible, como si no tuviera prisa alguna, pero, al cabo, rompía su silencio para decir:

—No sabes la respuesta, ¿verdad?

El viajero ni siquiera contestaba. ¿Para qué iba a decir nada si ya sabía que su muerte era irremediable? Entonces, la Esfinge estiraba los brazos, acercaba las manos al cuello del viajero y apretaba con todas sus fuerzas hasta estrangularlo. Y, cuando notaba que su presa había dejado de respirar, se lanzaba sobre ella y la devoraba sin compasión.

Durante cierto tiempo, la Esfinge sembró el terror en el camino que llevaba a Tebas. Los labradores de la zona dejaron de pasar por el desfiladero, y los mercaderes de otros lugares renunciaron a viajar a la ciudad. La Esfinge, pues, empezó a pasar hambre, así que algunos días volaba hasta Tebas en busca de alguna víctima fácil. Solía sentarse en lo alto de las murallas de la ciudad y, en cuanto aparecía alguien, se abalanzaba sobre él. Fueron muchas las ocasiones en que las calles y plazas de Tebas quedaron regadas por la sangre de un niño que jugaba en un caballo de madera, de un labrador que iba al mercado a comprar un cántaro o de una muchacha que había salido a pasear en compañía de sus amigas. Nadie podía evitar los ataques de la Esfinge, y todos los habitantes de Tebas asumieron con resignación que podían ser devorados por el monstruo el día menos pensado. La única manera de acabar con el peligro era resolver el oscuro acertijo que la Esfinge proponía a los viajeros, pero nadie parecía capaz de llevar a cabo una hazaña tan extraordinaria.

Las cosas cambiaron de repente gracias a un forastero llamado Edipo. En realidad, Edipo había nacido en Tebas, aunque él mismo no lo sabía, porque se había criado lejos de la ciudad. Cuando era un recién nacido, sus padres fueron advertidos de que aquel niño les iba a acarrear muchas desgracias, así que decidieron abandonarlo en el monte. Por fortuna, unos pastores lo encontraron y le salvaron la vida. Edipo era muy inteligente, y confiaba tanto en su sabiduría que acudió a Tebas sin más propósito que resolver el enigma de la Esfinge. Al ver que un forastero se acercaba, la Esfinge se interpuso en su camino y le preguntó:

—¿Adónde vas, viajero?

—A Tebas —respondió Edipo con voz firme.

—Pues no pasarás de aquí a no ser que me des la respuesta a un acertijo.

—Dímelo y trataré de responder.

Entonces la Esfinge dijo:

Sólo tiene una voz,
y anda con cuatro pies por la mañana,
dos al mediodía y tres por la noche.
Cuantos menos pies tiene, más veloz corre.
Si lo conoces, te ama, pero si no lo conoces,
lucha contra ti y te destruye.

Edipo escuchó el enigma con la mayor atención, esforzándose por desentrañar su oculto sentido. Intentó abstraerse y olvidarse de la Esfinge, pero, aun así, no lograba dar con la solución. Al final, recogió un palo que vio a la vera del camino, trazó con él un círculo en el suelo y se metió dentro, pues pensaba que de esa manera podría aislarle de todo lo que le rodeaba y concentrarse mejor. Edipo se pasó más de una hora en el interior del círculo, pensando sin descanso, y al fin, con voz clara y potente, dijo:

—La solución a tu enigma es el hombre. El hombre tiene una voz con la que habla. Por la mañana, es decir, cuando es un recién nacido, va a cuatro patas como los perros, porque gatea. Luego, cuando llega a adulto y se encuentra en el mediodía de su vida, camina sobre sus dos pies y es capaz de correr a gran velocidad. En cambio, por la noche, cuando envejece, se apoya en su bastón, su tercer pie, y anda con dificultad. Además, el hombre debe abrir los ojos de la mente y el corazón para conocerse a sí mismo: si se conoce bien, se convierte en su mejor amigo, pero, si no llega a conocerse, se transforma en su peor enemigo y se destruye a sí mismo.

La cara de la Esfinge, que siempre se mostraba impasible o falsamente dulce, adquirió de pronto un gesto áspero. Edipo había descifrado el enigma, y la Esfinge no supo aceptar su derrota. Sus ojos se volvieron rojos de rabia, sus garras empezaron a temblar y su cuerpo entero se tensó como una cuerda que soporta un peso enorme, pues la ira le quemaba por dentro como una llamarada. Al final, la Esfinge perdió el control sobre sí misma y se quitó la vida arrojándose desde la cima de la montaña.

Edipo, feliz con su victoria, siguió su camino hacia Tebas, adonde llegó en el momento más oportuno, pues aquel mismo día había muerto el rey de la ciudad. Los habitantes de Tebas nombraron a Edipo su nuevo monarca para agradecerle la ayuda impagable que les había prestado. Parecía que Edipo lo tenía todo para ser feliz, pero, tiempo después, vivió una gran tragedia y acabó arrancándose los ojos de pura desesperación. Sucedía que aquel hombre tan inteligente no se conocía a sí mismo tan bien como creía… Pero ésa es otra historia.

El desafío de Aracne

Hace mucho, muchísimo tiempo, existió a orillas del mar Mediterráneo un país llamado Lidia. Aunque sus costas eran muy bellas y sus prados tenían un verde cautivador, lo que hacía de Lidia un país único era la púrpura, un extraño molusco que se criaba en sus playas. Las púrpuras tenían una concha retorcida de color gris y un aspecto muy poco atractivo, pero todo el mundo las buscaba con afán porque guardaban en sus entrañas un auténtico tesoro: un tinte carmesí tan intenso como los destellos de los rubíes.

Los tejidos teñidos con púrpura quedaban tan hermosos que la gente no se cansaba de mirarlos nunca. Reyes y emperadores de todo el mundo pagaban grandes cantidades de oro a cambio de una túnica teñida con púrpura, y princesas de todas las naciones acudían a Lidia para comprar un velo carmesí que realza-

65

se su belleza. De modo que los mercados de Lidia estaban siempre muy concurridos, y el dinero corría en abundancia por todo el reino.

En Lidia reinaba un hombre llamado Idmón. Se había enriquecido gracias a su vista aguda, que le permitía distinguir con gran facilidad la valiosa púrpura entre la arena de la playa. Idmón era viudo, pero no estaba solo: tenía una hija llamada Aracne, bella y muy inteligente, que era la mejor tejedora de Lidia. Las telas que urdían las manos de Aracne eran tan perfectas que dejaban boquiabierta a la gente, y parecía que los animales y personas bordados en sus tejidos fuesen a salirse de la tela en cualquier momento. Aracne, consciente de su habilidad, solía proclamar en voz alta que no había en el mundo una tejedora mejor que ella. Es más, en cierta ocasión se atrevió a decir:

—¡Soy incluso mejor que Atenea!

Atenea, que era la diosa de las hilanderas y las bordadoras, enrojeció de ira al oír aquellas palabras.

—Pero ¿qué se ha creído esa muchacha? —bramó—. ¿De modo que se cree mejor que yo? Pues ahora mismo la enseñaré a ser más humilde…

Aquel mismo día, Aracne vio entrar en su taller a una anciana de pelo blanco que caminaba ayudándose con un bastón. La mujer se pasó un buen rato examinando los tejidos expuestos en el taller, y en cierto momento le preguntó a Aracne:

—¿Los has hecho tú?

—Así es —respondió la joven con evidente orgullo—. Soy la mejor tejedora de Lidia.

—Pensaba que sólo las manos de una diosa podían tejer unas telas tan perfectas…

—Yo sé tejer mejor que la mismísima Atenea.

—No digas eso, muchacha, o Atenea te castigará. Los dioses no perdonan a quienes los desprecian…

—Yo no desprecio a nadie —replicó Aracne—: me limito a decir la verdad. Soy mejor tejedora que Atenea, eso es todo.

—Te repito, niña, que si Atenea se ofende…

—¡Que se ofenda si quiere! Si Atenea estuviera aquí delante, la retaría a competir conmigo, y así le demostraría con hechos que soy mejor tejedora que ella.

La anciana se alteró mucho al oír aquellas palabras. Su cuerpo entero se tensó, y pareció cambiar por efecto del enojo. De repente, las arrugas desaparecieron de su rostro, su pelo blanco se volvió oscuro, y sus ojos recobraron el brillo de la juventud. Costaba creerlo, pero la anciana se había convertido en una joven bellísima, alta y de rasgos delicados. Entonces, Aracne pensó que aquel extraño prodigio sólo podía tener una explicación…

—Eres Atenea, ¿verdad? —dijo.

—Claro que soy Atenea. Supongo que, si me hubiera presentado en tu taller con mi verdadera forma, no habrías tenido el coraje de proclamarte mejor que yo…

—No creas que te tengo miedo —le advirtió Aracne—. Sigo pensando que soy mejor tejedora que tú. Así que, si quieres, podemos competir. Estoy segura de que tejeré una tela mejor que la tuya.

Atenea le lanzó a Aracne una mirada desafiante, pero la joven no se inmutó.

—Eres orgullosa, Aracne, muy orgullosa —dijo la diosa—. Puesto que así lo quieres, competiremos. Y espero que no te arrepientas de haber ido tan lejos…

Enseguida corrió la voz de que Aracne se iba
a enfrentar con Atenea, y decenas de personas de toda la ciudad
acudieron al taller de Aracne a presenciar el desafío. Las dos rivales se situaron delante de sus respectivos telares, y entonces
Atenea dijo:

—¡Empecemos!

Tanto Aracne como Atenea comenzaron a mover sus manos
con una habilidad y una rapidez asombrosas. Atenea tejió un tapiz de seda, fino como el aire, y lo bordó con un dibujo que
exaltaba el poder de los dioses. Zeus aparecía en el centro, sentado en la cima del Olimpo, y alrededor se encontraban Apolo y
Poseidón, Eros y Afrodita, así como la propia Atenea, que aparecía con un casco en la cabeza y con la lechuza de la sabiduría
apoyada en el hombro. El tapiz entero, con sus altas figuras de
impresionante aspecto, venía a recordar que los dioses eran to-
dopoderosos: creadores de la tierra, señores del mar, dueños del
cielo y reyes eternos de la humanidad.

Aracne, por su parte, tejió un velo de lino, ligero como el
agua, y lo bordó hasta la última esquina. Al contrario que Atenea, había representado lo peor de los dioses. Aparecían
Zeus convertido en toro para engañar a Europa,
Hermes robando las vacas de Apolo, y Crono
comiéndose a sus hijos. Aracne quería

dar a entender que los dioses no son en absoluto mejores que los seres humanos, pues también ellos son apasionados y mentirosos, injustos e imprudentes, avariciosos y perversos…[1]

Cuando las dos rivales acabaron su trabajo, los curiosos que habían presenciado el duelo se quedaron mudos de asombro. Tanto el tapiz de Atenea como el velo de Aracne eran admirables. Parecía que el tejido de una diosa tenía que ser por fuerza mejor que el de una mujer, pero el velo deslumbrante de Aracne no tenía nada que envidiar al tapiz resplandeciente de Atenea, ni por su color, ni por su forma ni por los brillos que despedía. Era una obra perfecta, y Aracne, llena de orgullo, les preguntó a los presentes:

—Decidme, ¿quién ha ganado?

Atenea se dio cuenta de que el velo de su rival era impecable, y su corazón ardió de envidia. No podía perdonarle, además, que hubiera utilizado su tejido para insultar a los dioses. Con los ojos enrojecidos por la rabia, Atenea se lanzó sobre el velo de Aracne y exclamó:

—¡Esto es lo que opino de tu tela!

La diosa estaba tan enojada que rasgó en pedazos el velo de Aracne, y golpeó la cabeza de la joven con la lanzadera[2] de su telar. Aracne comprendió entonces el gran error que había cometido al desafiar a una diosa, y se sintió tan avergonzada que de-

---

1 Las escenas elegidas por Aracne muestran, en efecto, comportamientos inmorales. Ya sabemos que Zeus se metamorfoseó en toro para engañar y seducir a Europa (págs. 42-46). De Hermes, por su parte, se cuenta que, una vez, aprovechó un descuido de su hermano Apolo para robarle el ganado. Finalmente, el dios Crono se comía a sus hijos en cuanto nacían a fin de conservar su reino, pues le habían predicho que uno de ellos lo destronaría.

2 *lanzadera*: pieza de cerámica que se usa para entrelazar los hilos en el telar.

seó morir. De modo que corrió hasta un rincón del taller, donde había una cuerda colgada del techo, y se la pasó alrededor del cuello. Todos los presentes rompieron a gritar al ver que el cuerpo de Aracne se balanceaba a tres pies del suelo, pero no se atrevieron a acercarse a la joven, por miedo a avivar el enfado de Atenea. Al final, la propia diosa se compadeció, así que se acercó a Aracne y la sostuvo con sus brazos para salvarle la vida.

—Tu falta ha sido grave —le dijo—, pero la muerte es un castigo excesivo. Dejaré que vivas, Aracne, pero permanecerás colgada, y lo mismo les pasará a todos tus descendientes.

Atenea roció entonces a Aracne con el jugo de una hierba mágica que llevaba siempre consigo, y de ese modo la joven tejedora se transformó en un pequeño insecto de cabeza pequeña y patas muy largas. Al mismo tiempo, la cuerda que antes le rodeaba el cuello se convirtió en un finísimo hilo de seda que le salía del vientre. Atenea miró a Aracne y le dijo:

—Dedica tus días a tejer con ese hilo que sale de tu cuerpo, y así la vida se te hará más llevadera.

Aracne, pues, se pasó el resto de su vida tramando finísimas redes en los rincones y alimentándose de los insectos que quedaban atrapados en ellas. Y así han vivido siempre las arañas, descendientes de aquella orgullosa muchacha de Lidia que cometió el error de creerse mejor que los dioses.[3]

---

3 El mito explica, como vemos, el origen de las arañas, animal al que, en griego, se designa precisamente con la palabra *aracne*.

El oro de Midas

El hombre estúpido rara vez alcanza la felicidad, pues no sabe valorar lo que tiene. La historia de Midas así lo demuestra.

Midas era hijo del rey de Frigia,[1] un país bendecido por los dioses donde los árboles estaban siempre cargados de frutos, las flores desprendían un olor embriagador y el ganado crecía sano y robusto. Desde el principio, quedó claro que Midas estaba destinado a ser rico. Cuando acababa de nacer, una hilera de hormigas desfiló hasta su cuna y amontonó sobre su boca un puñado de semillas de trigo. Al ver aquello, la nodriza[2] del pequeño estuvo a punto de enloquecer de alegría.

—¡Las hormigas han llenado de trigo los labios de vuestro hijo —le explicó al rey—, y eso quiere decir que será muy rico!

Midas fue, en efecto, un hombre afortunado. Al morir su padre, comenzó a reinar y, como en Frigia no había problemas, se pasaba la mayor parte del tiempo paseando por el campo. Le encantaban las cosas hermosas, de modo que hizo plantar en sus jardines un millar de rosales. Era un goce contemplar y oler las infinitas flores del jardín, cuidadas por una brigada de más de mil jardineros.

---

1 Frigia era una región de Oriente Próximo situada en la actual Turquía. La atraviesa el Pactolo, un río que se cita al final de esta historia.

2 *nodriza*: mujer que cría a un niño que no es suyo.

La suerte de Midas comenzó a cambiar por casualidad. Un día, el dios Dionisos, acompañado por su séquito,[3] pasó por Frigia. Iba cantando y bailando, como siempre, porque Dionisos era el dios del vino y de las fiestas. Sus acompañantes se tambaleaban a causa de lo mucho que habían bebido, y uno de ellos, el viejo Sileno, acabó dormido en el jardín de Midas. A la mañana siguiente, un jardinero lo encontró bajo un rosal y lo condujo ante el rey. Midas trató a Sileno con gran amabilidad y lo albergó en su palacio durante diez días.

Cuando Sileno se reencontró con Dionisos, el dios le dio un abrazo muy cariñoso, pues sentía auténtica adoración por él.

—¿Dónde te habías metido, mi querido Sileno? —le preguntó—. ¡No sabes cuánto te he echado en falta…!

—Me quedé dormido bajo un rosal, pero Midas ha cuidado muy bien de mí. Me ha invitado a espléndidos banquetes, me ha dejado dormir en la mejor cama de su palacio y les ha ordenado a sus criados que me acompañaran hasta aquí.

—¡Qué gran anfitrión![4] —dijo Dionisos—. Hoy mismo iré a verlo y lo premiaré por lo bien que te ha tratado.

Dionisos, en efecto, acudió en busca de Midas y le dijo:

—Te concedo el don que me pidas. Dime: ¿qué es lo que más te gustaría?

Midas no podía creerse su buena suerte. Durante un buen rato, estuvo pensando en qué pedir. No era fácil decidirse, pues Midas era un hombre poderoso y rico, que tenía casi todo lo que uno puede desear en la vida… Pero había un don que na-

---

3 *séquito*: grupo de gente que acompaña a una persona importante.

4 *anfitrión*: persona que acoge a otra en su casa.

die, por muy rico que fuese, poseía en el mundo, y eso es lo que Midas pidió.

—Quiero que todo lo que toque se convierta en oro —dijo.

—¿Estás seguro? —preguntó Dionisos, muy extrañado.

—Desde luego que sí —contestó Midas.

—Entonces, desde ahora, todo lo que toque tu cuerpo se convertirá en oro.

Midas se dirigió enseguida al jardín y, a modo de prueba, levantó una roca, que se convirtió al instante en una roca de oro. Loco de alegría, cortó una rosa, que se transformó en una rosa de oro, y luego levantó del suelo un terrón de tierra, que adquirió de inmediato la apariencia de un reluciente lingote de oro.

—¡Soy el hombre más afortunado del mundo! —exclamó, entusiasmado—. ¡He escogido el mejor don de todos!

Pero pronto se dio cuenta de que la elección no había sido tan acertada como parecía. Midas tenía un perro que lo seguía a todos lados y al que le tenía mucho cariño. Pues bien: aquel día, cuando el animal se acercó a su amo y restregó el hocico contra las rodillas del rey, se convirtió en un perro de oro. Pero más terrible todavía fue lo que pasó con la hija de Midas: la muchacha corrió a abrazar a su padre como todos los días, y acabó transformada en una resplandeciente estatua de oro. Roto de dolor, Midas cayó de rodillas en el suelo y empezó a lamentarse.

—¡Qué estúpido he sido! —decía—. ¿Cómo pude pedir un don tan absurdo? ¡Si no hubiera sido tan codicioso, ahora mi hija seguiría con vida!

De hecho, el propio Midas estaba a punto de morir, pues nunca más podría comer ni beber. Si tocaba el pan para llevárselo a la boca, el pan se transformaría en oro, y lo mismo le pasaría al

agua cuando rozara sus labios. Midas se echó a llorar, y notó que sus lágrimas se convertían en guijarros de oro. Desesperado, corrió en busca de Dionisos y se arrodilló a sus pies.

—¡Sálvame, por piedad! —suplicó—. ¡Quítame el don que me has dado o me moriré!

Dionisos, en vez de entristecerse, se mondó de la risa.

—Te has comportado como un estúpido, Midas —dijo—, pero te ayudaré. Si quieres salvar tu vida, báñate en la fuente donde nace el río Pactolo, y perderás al instante el don que te he dado. Y haz lo mismo con tu hija, si es que quieres que vuelva a abrazarte.

Midas siguió las instrucciones de Dionisos, y así logró salvar-se a sí mismo y recuperar a su hija. Y ésa es la razón por la que hay tanto oro en las arenas del río Pactolo: porque fue allí donde se bañó el alocado Midas para dejar de ser el hombre más rico y el más desdichado del mundo.

Perseo y la cabeza de Medusa

Cuando Zeus se encaprichaba de una doncella, nadie podía evitar que la conquistase. En cierta ocasión, quedó prendado[1] de una hermosa muchacha llamada Dánae, y no dudó en llevar a cabo un extraño prodigio para gozar de su amor. Dánae era la hija del rey Acrisio de Argos,[2] y vivía aislada del mundo, encerrada en la torre de un palacio. Sucedía que a Acrisio le habían profetizado[3] que su destino era morir a manos de un nieto suyo, así que, en cuanto Dánae llegó a la adolescencia, decidió encarcelarla para que no pudiera casarse ni engendrar hijos. «Si no tengo nietos», pensaba el rey, «me salvaré de la muerte».

Zeus, sin embargo, logró entrar en la celda de Dánae sin que nadie se diese cuenta. Un día, la joven notó que por el techo de la torre se filtraba una extraña lluvia de oro. Dánae estaba tumbada en la cama, y las gotas fueron cayendo sobre su pecho y su vientre. Ni siquiera se molestó en retirarse, pues era agradable sentir el roce fresco de la lluvia sobre el cuerpo. No podía saber que Zeus se había transformado en lluvia de oro para poder abrazarla.

---

1 *prendado*: enamorado.

2 Argos es una ciudad griega situada en la península del Peloponeso, a unos 100 km al suroeste de Atenas.

3 *profetizar*: anunciar un hecho que ha de suceder en el futuro.

Nueve meses después, Dánae dio a luz a un hijo. Acrisio no logró explicárselo, pues estaba seguro de que ningún hombre había entrado en la celda de su hija. Sólo cuando el pequeño Perseo llegó al mundo, empezó a intuir lo que había ocurrido. Aquel niño estaba rodeado por una especie de resplandor, más propio de un dios que de un ser humano, así que Acrisio comprendió que su nacimiento tenía que ver con algún prodigio sobrenatural. «Éste es el nieto que ha de acabar conmigo», pensó con inquietud, y entonces decidió matar al pequeño Perseo para salvar su propia vida. Pero como no se atrevía a darle muerte por sí mismo, decidió embarcar al niño y a su madre en un cajón de madera que luego arrojó al mar. «Que los dioses decidan si deben sobrevivir o perecer»,[4] pensó Acrisio.

Para Dánae y Perseo, la primera noche en el mar fue terrorífica. Las olas eran tan fuertes que el cajón parecía a punto de naufragar, y el pequeño Perseo lloraba sin descanso, pues pensaba que el mar estaba lleno de monstruos sanguinarios que querían devorarlo. Lo único que lo aliviaba de su terror era un anillo de diamantes que Dánae llevaba puesto en un dedo, y que resplandecía en la oscuridad. Perseo creía que los diamantes eran como diminutos espejos que ahuyentaban a los monstruos. Fue la primera vez que los espejos le ayudaron a sobrevivir.

Durante cuarenta días y cuarenta noches, Perseo y su madre vagaron sobre el mar a merced de las olas. Por fin, una mañana, las corrientes acercaron el cajón hasta la isla de Sérifos,[5] donde lo encontraron unos pescadores.

---

4 *perecer*: morir.
5 Sérifos es una de las numerosas islas que forman el archipiélago de las Cícladas, situado en el mar Egeo, al este de la península del Peloponeso.

—¡Mirad! —exclamaron, muy asombrados—. ¡Hay una mujer y un niño en el cajón! ¡Llevémoslos ahora mismo ante el rey!

En Sérifos mandaba el rey Polidectes, que acogió a los recién llegados en su propio palacio. Allí, Perseo creció hasta convertirse en un joven alto, apuesto y con fama de valiente que manejaba la espada a la perfección. Todo fue bien hasta que Polidectes, casi sin darse cuenta, comenzó a desconfiar de Perseo. Un día, mientras lo veía ejercitarse con la espada, empezó a decirse: «Este muchacho se ha ganado el aprecio de todo el mundo en Sérifos, y llegará muy lejos en la vida. ¿Quién sabe si algún día se propondrá arrebatarme el trono? Es verdad que no me ha dado ninguna muestra de enemistad, pero los peores enemigos son los que actúan con disimulo, los que no nos hacen sospechar de su maldad hasta el momento decisivo…».

Polidectes se asustó tanto que decidió deshacerse de Perseo. No se atrevió a matarlo con sus propias manos, ni a pedirles a sus soldados que lo hicieran por él, sino que buscó una manera más discreta y maliciosa de enviarlo a la muerte. Un día, llamó a Perseo y le dijo:

—Un joven como tú, de sangre real, debe demostrar su valor con una gran hazaña.

—Haré lo que me pidáis —dijo Perseo, orgulloso.

Polidectes guardó silencio durante unos instantes, y luego dijo con un tono sereno que intentaba disimular su maldad:

—Quiero que me traigas la cabeza de Medusa…

Se trataba de una misión peligrosísima. Medusa vivía en una cueva situada en el límite occidental del mundo, cerca del país de los muertos, y pasaba por ser uno de los monstruos más despiadados de la Tierra. En su juventud, Medusa había sido una mujer muy hermosa, pero los dioses la habían castigado arrebatándole su belleza. Los sedosos cabellos de Medusa se convirtieron entonces en fieras serpientes, sus ojos se transformaron en negros abismos y sus dientes se volvieron tan grandes y afilados que le desgarraban los labios y las mejillas. Incluso su larga lengua era terrorífica, pues estaba hinchada y rígida como un cadáver. Pero lo peor de todo era que, por culpa de un maléfico hechizo, Medusa convertía en piedra todo lo que miraba.

Perseo, sin embargo, no dudó en aceptar la misión. Por suerte, contó con la ayuda de los dioses para llevarla a cabo. Hermes le proporcionó unas sandalias aladas con las que pudo volar rápidamente hasta el lejano país de Medusa. Una vez allí, se coló en la guarida del monstruo, mientras se repetía sin descanso unas palabras que le había dicho la diosa Atenea: «Nunca, pase lo que pase, mires a Medusa a la cara, porque, si lo hicieras, te convertirías al instante en piedra». De modo que Perseo se acercó a Medusa sin mirarla directamente. Para verla, se valió de un escudo de bronce que le había proporcionado Atenea, y cuya superficie brillaba como un espejo. Medusa rugió al ver a Perseo, pero el muchacho se mantuvo firme. Alzó el escudo, buscó en él el reflejo de Medusa y luego agarró con fuerza la única arma que llevaba consigo: una hoz[6] con hoja de diamante que le había facilitado Hermes. Perseo descargó un golpe brutal sobre el cuello

---

6 *hoz*: especie de cuchillo largo, pero de hoja curvada, con que se corta el trigo.

de Medusa, y entonces la cabeza del monstruo, con sus miles de serpientes de larga lengua, rodó por el suelo hasta el fondo de la cueva. Luego, Perseo la recogió con mucho cuidado, sin mirarla, y la guardó en un zurrón[7] que le había regalado Hermes para que pudiera llevar la cabeza sin peligro hasta Sérifos.

El viaje de vuelta fue durísimo. La cabeza de Medusa pesaba mucho, y los vientos llevaban a Perseo de un lado a otro. Una tarde, el joven decidió detenerse a descansar en una costa rocosa que distinguió en el horizonte. Al acercarse, vio que algo se movía en un acantilado, y enseguida se dio cuenta de que era una muchacha. Estaba casi a ras de agua, y las olas le lamían los pies. ¿Qué estaría haciendo allí? Perseo se acercó un poco más, y entonces percibió que la joven estaba encadenada a la pared del acantilado. Nada más verla, sintió en el corazón el fuego del amor, pues aquella muchacha tenía un rostro precioso, una piel blanca como la espuma y un cabello dorado como el sol. Perseo voló hasta ella y le preguntó por qué estaba encadenada. Andrómeda, que así se llamaba la joven, le contestó que era la hija del rey de aquellas tierras, y explicó su desgracia entre sollozos.

—Poseidón, el dios del mar —dijo—, se enfadó mucho con mi madre hace algún tiempo y, en castigo, envió un monstruo marino contra nuestro reino, que ha matado a cientos de personas y animales en los últimos meses. Poseidón dijo que nuestro reino volvería a vivir en paz si mi padre me entregaba al monstruo, de modo que aquí estoy, esperando la muerte…

—¡Pero eso es una crueldad! —exclamó Perseo—. ¡Voy a matar a ese monstruo en cuanto aparezca!

---

7 *zurrón*: bolsa grande de piel.

—¡Ni lo intentes! —advirtió Andrómeda—. ¡Esa fiera tiene la fuerza y el tamaño de un dragón…!

—¿Y qué importa? No tengo ningún miedo. Tal vez no sea el hombre más fuerte del mundo, pero adonde no llegue mi fuerza, llegará mi astucia.

Perseo, pues, se quedó junto a Andrómeda, y cuando el monstruo llegó, se dispuso a hacerle frente. Era una bestia descomunal, que nadaba muy deprisa gracias a los poderosos músculos de sus aletas. Hambrienta de carne, emergió entre las espumosas olas con la boca abierta de par en par, decidida a destrozar con una dentellada el frágil cuerpo de Andrómeda. La muchacha se asustó tanto que soltó un grito estremecedor. Perseo, en cambio, se abalanzó sobre el monstruo desde el aire, con la hoz en la mano, y trató de herirlo de muerte. Desde aquel instante, el hombre y la bestia libraron una batalla encarnizada. En cierto momento, Perseo llegó a clavarle al monstruo la hoz en la garganta, pero las escamas del animal eran tan duras que no logró penetrar la carne. La lucha le exigía tal esfuerzo que, al final, Perseo notó que comenzaban a fallarle las fuerzas. Mantenerse en el aire y batallar al mismo tiempo no era cosa fácil, y la posibilidad de vencer a la fiera parecía cada vez más remota… Perseo estaba a punto de abandonar la lucha cuando, en el último instante, una idea luminosa brotó en su mente. Él mismo se lo había dicho a Andrómeda: la astucia podía ser mucho más valiosa que la fuerza. Acabar con la bestia era, en realidad, la cosa más sencilla del mundo.

Entusiasmado con su idea, Perseo volvió por un momento al acantilado y recogió el zurrón que había dejado junto a Andrómeda. Lo abrió con los ojos cerrados, y luego echó a volar de nuevo hacia el monstruo con la cabeza de Medusa en la mano. Bastó con que la bestia la viera para que se convirtiera al instante en una enorme montaña de coral.

Luego, Perseo volvió junto a Andrómeda y le dijo:

—Eres libre, muchacha.

Perseo obtuvo la mejor recompensa a la que podía aspirar: se casó con Andrómeda, con quien habría de tener seis hijos. Por supuesto, volvió a Sérifos para entregarle a Polidectes la cabeza de Medusa. Se la ofreció encerrada en el zurrón, pero el rey no pudo resistir la tentación de mirarla, así que acabó convertido en piedra. En cuanto al escudo con el que había vencido a Medusa, Perseo lo conservó hasta la vejez, y a veces le sacaba brillo durante horas. Algunos días, cuando Andrómeda estaba tan hermosa que casi daba miedo mirarla, Perseo apartaba la vista y contemplaba el reflejo de su esposa en la superficie del escudo. «Quién sabe», se decía, «a lo mejor también la belleza puede convertir a los hombres en piedras».

Orfeo en el infierno

En Tracia, fértil país lleno de verdes sauces y manzanos silvestres, vivió en la antigüedad un famoso cantor llamado Orfeo que tenía una voz clara como el cristal y dulce como la miel. Orfeo solía cantar al son de una lira[1] que le había regalado el mismísimo Apolo, el dios de la música. Sus canciones, unas alegres y otras tristes, no sólo hacían llorar de emoción a la gente, sino que amansaban a las bestias y estremecían a las piedras. Incluso podían alterar las fuerzas de la naturaleza, pues, una vez, durante un viaje por mar, cuando la tormenta amenazaba con hundir el barco, Orfeo comenzó a cantar, y su voz aplacó en el acto la furia terrible del viento y de las olas.

Orfeo se enamoró de Eurídice, una ninfa bellísima que vivía en uno de los bosques de Tracia. La quería con locura, y se casó con ella con el convencimiento de que seguirían juntos hasta la vejez. Por desgracia, el mismo día de la boda, una serpiente mordió a Eurídice en el talón, y la mató sin darle tiempo ni siquiera de despedirse de su esposo. Orfeo sintió que su corazón se desgarraba de dolor. El llanto inundó sus ojos, y durante meses no hizo otra cosa más que vagar sin rumbo por el bosque: ni cantaba ni hablaba con nadie. Orfeo sentía que, sin Eurídice, su

---

1 *lira*: instrumento musical parecido a un arpa pequeña.

vida no tenía sentido. Por eso decidió llevar a cabo una hazaña sobrehumana: viajar al más allá para recuperar a su esposa.

—¡Estás loco! —le advirtieron sus amigos—. ¡Nadie puede viajar al infierno y volver con vida! Tienes que asumirlo, Orfeo: ¡nunca podrás recuperar a Eurídice!

Pero Orfeo no hizo caso: prefería arriesgarse a morir antes que vivir lejos de Eurídice. Una mañana, pues, entró en la cueva que llevaba hacia el Tártaro, el mundo subterráneo donde habitan los muertos. Durante horas, descendió sin descanso a través de oscuras sendas abiertas entre la roca, y al fin llegó a las orillas del río Aqueronte, cuyas aguas separan la vida de la muerte. Allí vivía el sombrío Caronte, un anciano raquítico cuyo oficio consistía en montar a los difuntos en su barca para llevarlos a la otra orilla del Aqueronte, que es donde empieza el infierno. Caronte era muy antipático, y nunca hablaba con nadie, pero cuando vio a Orfeo no pudo quedarse callado.

—¿Se puede saber qué estás haciendo aquí? —le dijo—. ¿Es que no sabes que los vivos no podéis acercaros a estas tierras?

En lugar de responder con palabras, Orfeo cogió su lira y empezó a cantar una canción leve como la brisa, que evocaba el gozo de un paseo por un camino soleado. Caronte se acordó entonces de su madre y añoró el aroma de su piel, y sus ojos se llenaron de lágrimas, las lágrimas de un niño que reclama atención. Aunque Caronte no dijo nada, era evidente que Orfeo había logrado convencerlo para que hiciera algo prohibido: llevar a un hombre vivo a la orilla de los muertos.

—Sube a mi barca —le dijo a Orfeo.

Ya en la otra orilla, Orfeo se fue adentrando poco a poco en la oscuridad del Tártaro. Lo hizo sin dejar de cantar, y su hermosa voz logró amansar al feroz Cerbero, el perro de tres cabezas que custodia las puertas del infierno para impedir que pasen los vivos. De ese modo, Orfeo pudo llegar ante el mismísimo Hades, el rey del más allá. También cantó para él, y lo conmovió con la belleza de su canto.

—Está bien, Orfeo —dijo Hades—, puedes llevarte a tu esposa. Pero tendrás que cumplir una condición…

—Mandadme lo que queráis y obedeceré —dijo Orfeo, lleno de alegría.

—Cuando emprendas el camino de vuelta, Eurídice seguirá tus pasos, pero tú no debes girarte nunca para mirarla. No vuelvas la cabeza, Orfeo, o Eurídice regresará en el acto al infierno. Y si la pierdes por segunda vez, no volverás a verla nunca más.

—No os preocupéis: saldré del Tártaro sin volver la cabeza ni una sola vez.

Orfeo, pues, emprendió el camino hacia la luz, con la seguridad de que Eurídice lo estaba siguiendo, y volvió a cantar al son de su lira. Las notas de su canción se iban trenzando como una escalera de cuerda: cada nota se convertía en un escalón, cada estrofa elevaba un poco más la escalera. Durante el trayecto, Orfeo no se giró ni una sola vez para mirar a Eurídice. Pero, cuando ya estaban muy cerca de la superficie de la tierra, y la luz del día empezaba a iluminar la gruta, Orfeo sintió un miedo incomprensible. De pronto, le aterró la posibilidad de que Hades lo hubiese engañado. ¿Y si Eurídice no estaba a sus espaldas? ¿Y si se había perdido por el camino? Movido por un terror incontrolable, Orfeo volvió la cabeza, y en ese mismo instante acabó todo: una mirada bastó para que Eurídice se hundiera a toda velocidad en las profundidades del Tártaro.

Nadie podría describir la pena que sintió Orfeo al comprender que había perdido a Eurídice por segunda vez y para siempre. Sus mejillas quedaron arrasadas por las lágrimas, su pelo se volvió blanco de repente, y el mundo perdió para él todos sus colores y aromas. En los años que siguieron, su voz sólo pudo entonar canciones tristes. Así, abandonado a la melancolía, Orfeo fue haciéndose viejo y llegó a la hora de su muerte. Las musas[2] lo enterraron en un hermoso valle a la sombra del Olimpo, donde los ruiseñores se reúnen desde entonces a cantar. Orfeo no puede oírlos, pero no le importa, porque ahora es feliz: está en la orilla de los muertos, junto a Eurídice, y ya no tiene miedo de perderla…

2 Las *musas* eran divinidades que inspiraban a los poetas, los músicos y los pintores, entre otros artistas. Eran nueve, y vivían con Apolo, el dios de la poesía y la música.

Ulises y el caballo de Troya

Los griegos habían declarado la guerra a Troya, y llevaban diez años acampados frente a las puertas de la ciudad.[1] Una y otra vez, intentaron asaltar sus muros, pero Troya parecía inexpugnable,[2] así que el desánimo acabó por cundir entre los soldados griegos, y entre sus mismos capitanes. Diez años lejos de casa, sin ver a sus mujeres y a sus hijos, eran demasiado tiempo.

Había un capitán, sin embargo, que mantenía la esperanza de la victoria. Era Ulises, el rey de la pequeña isla de Ítaca. Ulises tenía fama de astuto y mentiroso, pero también de valiente y tenaz. Y es que jamás, en ninguna circunstancia, se rendía. Mientras sus compañeros se abandonaban a la tristeza, Ulises buscaba obsesivamente una estrategia para conquistar Troya.

Cierto día, por fin, se le ocurrió una buena idea. En realidad, fue Atenea quien se la proporcionó: convertida en una brisa sutil, la diosa se acercó a Ulises y le susurró al oído la artimaña[3] que necesitaba. Ulises se reunió enseguida con los otros capitanes griegos y les dijo que sabía cómo conquistar Troya.

---

1 La ciudad de Troya estaba situada en la actual Turquía, a orillas del mar Egeo y del estrecho de los Dardanelos. Según el mito, los griegos le declararon la guerra porque el príncipe troyano Paris raptó a la hermosa Helena, la esposa del rey de Esparta, que era una de las ciudades principales de Grecia.

2 *inexpugnable*: que no se puede conquistar por las armas.

3 *artimaña*: treta, trampa.

—Mi plan no puede fallar —dijo.

Al oír aquello, Agamenón, el jefe supremo de las tropas griegas, se entusiasmó.

—¿Qué es lo que hay que hacer? —le preguntó a Ulises.

—Levantar el campamento. ¡Nos vamos!

Agamenón quedó desconcertado.

—Pero ¿es que has perdido la cabeza? —dijo—. ¿De veras crees que debemos volver a casa? ¿Estás bromeando, no?

—Por supuesto que no —respondió Ulises—: ni bromeo ni estoy loco. Abandonar el campamento es sólo el primer paso de mi plan… Veréis, lo que he pensado es que…

Ulises describió su plan con todo detalle. Agamenón lo escuchó con atención, sin hacer un solo gesto, pero, en cuanto Ulises acabó de hablar, proclamó con una gran sonrisa:

—¡Es una idea magnífica!

Tres días después, al amanecer, cuando los troyanos se asomaron a la llanura que se extendía ante su ciudad, no pudieron creerse lo que estaban viendo. Los griegos habían levantado su campamento, y a lo lejos, en el mar, se veían sus barcos, navegando en dirección al oeste. Deífobo, que era uno de los hijos del rey de Troya, exclamó con alegría:

—¡Los griegos se han rendido! ¡Han levantado el campamento y se vuelven a Grecia!

La noticia se propagó enseguida por toda la ciudad. La gente saltó de alegría al saber que los griegos se habían marchado, y un clamor de entusiasmo se extendió por todas las casas y palacios de Troya. Nadie entendía qué podía haber ocurrido para que el enemigo se hubiese ido de un modo tan precipitado. ¿Acaso los griegos habían asumido que nunca podrían conquistar Troya?

En cualquier caso, la guerra había terminado. ¡Se habían acabado los ríos de sangre, los gritos de dolor de los heridos, el llanto de las madres que veían morir a sus hijos ante los muros de la ciudad!

De pronto, desde lo alto de la muralla, uno de los centinelas[4] de Troya señaló hacia lo lejos y gritó:

—Mirad, ¡los griegos han dejado algo en su campamento!

En efecto, entre las tiendas abandonadas, se veía una escultura de grandes dimensiones. El rey Príamo quiso examinarla de cerca, así que salió de la ciudad acompañado por varios de sus hijos y por la mayor parte de los nobles de Troya. Al acercarse, vieron que la escultura era un enorme caballo de madera, alto como el mástil de un barco. Era tan hermoso que los troyanos lo miraron fascinados durante largo rato. El rey Príamo se acarició la blanca barba y dijo:

—Han talado miles de pinos para construirlo...

El caballo estaba pintado de un amarillo brillante, salvo en las crines,[5] teñidas de un rojo encendido que recordaba el color del fuego. Para que la escultura fuese más hermosa, le habían incrustado esmeraldas[6] en los ojos y fragmentos de marfil en las correas y le habían puesto unas grandes herraduras de bronce que despedían un brillo cegador. A los pies del caballo había un cartel que decía: «Este regalo de los griegos es una ofrenda dedicada a Atenea para que nos permita volver sanos a casa».

—Es una ofrenda para Atenea... —dijo Deífobo.

---

4 *centinela*: soldado que vigila un lugar para alertar a los suyos en caso de que se avecine un peligro.

5 *crines*: conjunto de pelos que el caballo tiene en la parte posterior del cuello.

6 *esmeralda*: piedra preciosa de un color verde intenso.

—Los griegos adoran a Atenea —explicó Príamo—. No se habrían atrevido a embarcarse sin hacerle antes una ofrenda.

—Si el caballo es una ofrenda, no podemos destruirlo… —advirtió uno de los nobles de Troya.

—Desde luego que no —asintió Deífobo—. Habrá que llevarlo al interior de la ciudad y dejarlo ante el templo de Atenea. De lo contrario, la diosa nos castigaría sin piedad…

Todos los presentes estuvieron de acuerdo con Deífobo: ahora que la guerra había acabado, no convenía enojar a Atenea. De modo que los troyanos arrastraron el caballo al interior de su ciudad con ayuda de unas grandes sogas. Y ya estaban a punto de atravesar las puertas de la muralla, cuando sonó una voz desgarrada que decía:

—¡Dejad el caballo fuera de Troya! ¡Seguro que encierra algún engaño! ¿O acaso no sabéis lo tramposos que son los griegos?

La mujer que gritaba era una de las hijas de Príamo: la joven Casandra.

—¡Si metéis ese caballo en Troya —insistió—, la muerte y la devastación cundirán por la ciudad!

—¡No seas aguafiestas, Casandra! —replicó uno de los hombres que tiraban del caballo.

—¡Deja de alarmar a la gente! —gritaron otros—. ¡La guerra ha acabado! ¡No podemos ofender a Atenea dejando el caballo fuera de la ciudad!

Nadie, en fin, hizo caso de Casandra. Y lo más llamativo era que aquella muchacha tenía el don de la adivinación. Sin embargo, los dioses la habían castigado negándole la capacidad de convencer a la gente, así que nadie en Troya prestaba atención a sus vaticinios.[7] El caballo, pues, fue arrastrado hasta el interior de la ciudad y dejado a las puertas del templo de Atenea. Luego, los troyanos se dedicaron a comer, beber, cantar y bailar durante todo el día para celebrar el inesperado fin de la guerra. Acabaron tan cansados, que en cuanto cayó la noche se fueron a dormir, y un gran silencio se adueñó de la ciudad.

—¡Es el momento de atacar! —se oyó entonces dentro del caballo de madera.

Era la voz de Ulises. Sonó alegre, y con toda razón, porque era evidente que su plan había funcionado. Y es que el caballo de madera era en realidad una trampa. Su vientre estaba hueco, y en él se habían escondido Ulises y otros veinte guerreros para entrar en secreto en Troya. Durante todo el día, habían permanecido en silencio, soportando con resignación el calor asfixiante que hacía en el interior del caballo. Pero, en cuanto los troyanos se durmieron, Ulises y los suyos abandonaron la escultura

---

7 *vaticinio*: profecía, anuncio de algo que ha de suceder en el futuro.

deslizándose hasta el suelo con ayuda de unas largas cuerdas. Luego, corrieron a las puertas de la muralla y las abrieron de par en par para que los soldados griegos, armados hasta los dientes, pudiesen entrar en Troya. Pues, en realidad, no habían partido de regreso a su patria, sino que se habían limitado a fingir que se iban.

La destrucción cundió por toda Troya. Los griegos reventaron las puertas de los palacios, quemaron los templos, dieron muerte a todo el que opuso resistencia y mataron al rey Príamo atravesándole el vientre con una espada. En cuanto Troya quedó reducida a cenizas, los griegos se embarcaron con rumbo a su patria. Se les veía muy felices, pues por fin iban a pisar de nuevo su casa, por fin iban a besar a sus mujeres, por fin podrían abrazar a sus hijos…

actividades

Mitos griegos

Prometeo, el ladrón del fuego

1. Al principio del relato, se describe la relación que mantienen los hombres con sus dioses. ¿Con qué propósito rezan los seres humanos y para qué sirven sus ofrendas?

2. El conflicto entre dioses y hombres estalla por culpa del reparto de un buey. ¿Qué parte ansían quedarse tanto unos como los otros? ¿Por qué se elige a Prometeo como árbitro en la disputa?

3. Prometeo acaba por ponerse del lado de los hombres. ¿Qué estratagema utiliza para engañar a los dioses? ¿Por qué elige Zeus la parte menos valiosa del buey?

4. Encolerizado por el insatisfactorio reparto del buey, Zeus toma represalias contra la humanidad. ¿Qué castigo le impone? ¿Quién ayuda entonces a los hombres y cómo lo hace? Ante esta segunda humillación, ¿qué doble castigo idea Zeus?

5. El titán **Prometeo** es admirado por todo el mundo a causa de su sabiduría y sensatez. ¿Qué curioso pasaje pone de manifiesto el poder de su razón? (págs. 10-11) ¿Crees que Prometeo se merece el castigo que recibe? ¿Por qué?

6. **Zeus** es el gran antagonista de Prometeo. ¿Cómo definirías su carácter? ¿En qué se distingue de la forma de ser de Prometeo? ¿Dirías que las reacciones de Zeus son adecuadas, o más bien exageradas? ¿Obra Zeus con la piedad y generosidad que uno esperaría del padre de los dioses? ¿Dirías que es una divinidad justa? ¿Por qué?

7 El mito proporciona a menudo una explicación legendaria a ciertos sucesos naturales. Según se relata en la historia de Prometeo, ¿qué **fenómeno atmosférico** guarda una relación directa con los enojos de Zeus? (pág. 13) Sin embargo, ¿qué explicación científica tiene ese fenómeno?

8 En la mitología griega, el **fuego** es controlado por Zeus, el dios del cielo, situación que es reveladora de una cierta realidad histórica. Teniendo en cuenta la conexión que se establece entre Zeus y el fuego, ¿cómo debieron de producirse las primeras llamas que el hombre vio sobre la Tierra? O, dicho de otro modo, ¿de qué modo conseguían el fuego los seres humanos antes de que aprendieran a producirlo por sí mismos?

La caja de Pandora

1 El relato arranca con la visita de Zeus a su hijo Hefesto. ¿A qué se dedica Hefesto? ¿Con qué intención va a verlo Zeus?

2 La creación de Pandora constituye toda una obra de arte. ¿Con qué material es fabricada? ¿Quiénes le infunden vida y cómo lo hacen? ¿Cómo colaboran los dioses en el perfeccionamiento de Pandora?

3 Antes de enviar a Pandora a la Tierra, Zeus le hace dos regalos. ¿Cuáles son? ¿Qué le advierte Zeus a Pandora con respecto al primero de los dos regalos?

4 Zeus dispone que Pandora sea dejada a las puertas de la casa del titán Epimeteo. ¿Por qué se elige precisamente a Epimeteo? ¿Qué decisión toma el titán nada más ver a Pandora? ¿Por qué intenta Prometeo hacerle cambiar de idea?

5 Pandora y Epimeteo llevan una vida feliz durante cierto tiempo. Pero hay algo que atormenta a la joven. ¿De qué se trata? Al final, ¿qué prohibición se salta Pandora? ¿Qué consecuencias tiene su error? Al ver lo que ha sucedido en la Tierra, ¿cómo reacciona el dios Zeus?

6 El comportamiento de Pandora convierte la Tierra en un infierno. Sin embargo, ¿por qué deciden los hombres seguir adelante contra viento y marea? (pág. 22) ¿Dirías que el párrafo final de «La caja de Pandora» describe adecuadamente lo que es la vida humana? Razona tu respuesta aportando ejemplos.

7 La actitud de **Zeus** no es idéntica en «La caja de Pandora» y en «Prometeo, el ladrón del fuego». ¿En cuál de los dos mitos obra de forma más impulsiva y en cuál se muestra más calculador? Con todo, ¿qué rasgos de su carácter se manifiestan por igual en ambos relatos?

8 El tema central de «La caja de Pandora» es la **curiosidad**. ¿Qué metáfora se usa en el relato para señalar el carácter obsesivo que adquiere a veces esa cualidad? (pág. 20) En el mito de Pandora, ¿se ofrece una visión negativa o positiva de la curiosidad? En tu opinión, ¿es bueno o malo ser curioso? Razona tu respuesta.

9 Algunos mitos griegos presentan llamativas coincidencias con ciertas historias narradas en la Biblia. En concreto, Pandora nos recuerda a Eva, la primera mujer según el Génesis (2-3). ¿En qué se diferencia la creación de Pandora y la de Eva? ¿Qué alimento ejerce en la Biblia la misma función que la caja de Pandora? Tras infringir lo prohibido, ¿qué castigo se le impone a la humanidad en la Biblia?

Deucalión y Pirra

1 Poco después de que Pandora abra su caja, Zeus decide castigar con severidad a los hombres. ¿Por qué lo hace y qué castigo les inflige? ¿Cómo sobreviven Deucalión y Pirra?

2 Deucalión y Pirra imploran ayuda a Temis porque no soportan la soledad del mundo. ¿Qué les responde la diosa? Tras escuchar a Temis, ¿por qué se quedan Deucalión y Pirra tan desconcertados?

3 Tal y como Deucalión acaba por comprender, ¿qué son en realidad «los huesos de la Tierra»? ¿Con qué prodigio concluye el mito?

4 ¿Dirías que Deucalión y Pirra tienen caracteres parecidos? ¿Cuál de los dos se muestra más activo? ¿En qué momento queda claro que Deucalión ha heredado el carácter reflexivo y prudente de su padre?

5 **Deucalión y Pirra** están decididos a repoblar el mundo. ¿Qué crees que les impulsa: el miedo a la soledad, la necesidad egoísta de procurarse la ayuda de los demás, el afán de supervivencia, el deseo instintivo de perpetuarse, el puro altruismo…? Si tú te vieras en la situación de Deucalión y Pirra, ¿repoblarías el mundo? ¿Por qué?

6 Los mitos suelen explicar de forma legendaria el origen de ciertos fenómenos, costumbres, objetos o situaciones. Según se desprende de la historia de Deucalión y Pirra, ¿a qué se debe la enorme variedad que se da en el aspecto de los seres humanos? (pág. 28)

7 Los mitos nos informan a veces sobre las costumbres de los antiguos griegos. En concreto, ¿qué datos nos proporciona la leyenda de Deucalión y Pirra sobre el culto que los griegos rendían a sus difuntos? (págs. 26-27)

8 El mito de Deucalión y Pirra recuerda a la historia bíblica del **diluvio universal**. Lee el pasaje correspondiente del Antiguo Testamento (Génesis, 6-8) y señala qué coincidencias y diferencias adviertes entre el mito griego y el relato bíblico de Noé. ¿Cuál de las dos historias te parece más creíble y por qué?

Apolo y Dafne

1 La historia de Apolo y Dafne comienza con el relato de un acto heroico. ¿Cuál? ¿Qué repercusiones tiene dicha hazaña en el carácter y el comportamiento de Apolo?

2 Tras una tensa discusión, Eros decide vengarse de Apolo. ¿Cómo son las flechas que utiliza para ejecutar su venganza y qué efectos producen? ¿En qué consiste, en fin, la venganza de Eros?

3 Cierto día, Apolo se encuentra a solas con Dafne en el bosque. ¿Qué le propone entonces? ¿Qué responde Dafne y por qué echa a correr? ¿A quién pide ayuda la ninfa al ver que no puede salvarse por sí misma? ¿Con qué prodigio concluye la historia?

4 La actitud de Apolo cambia radicalmente a lo largo del relato. ¿En qué se diferencia su comportamiento al principio y al final de la historia? ¿Dirías que Apolo es un dios impulsivo, que se deja llevar por los sentimientos, o más bien un ser metódico y prudente? ¿Qué opinas de su actitud con respecto a Dafne? ¿Crees que Apolo se merece la frustración que sufre al final?

5 Más allá del aborrecimiento que siente por Apolo, ¿cuál es la actitud general de Dafne con respecto al amor? ¿Te parece comprensible el temor que le tiene a Apolo? ¿Por qué? ¿Consideras que su reacción, al echarse a correr por el bosque, es adecuada, o más bien te parece propia de una persona inmadura? ¿Crees que Dafne tiene un final justo? ¿Por qué?

6 Se suele decir que el **amor** tiene dos caras, porque puede encaminar a las personas hacia la felicidad o hacia la desgracia. ¿De qué modo quedan representadas las dos caras del amor en la figura de Eros? Para responder, ten en cuenta el llamativo contraste que se produce entre el aspecto físico del personaje y su forma de actuar. ¿Es consciente Eros del inmenso poder que posee el amor?

7 Teniendo en cuenta el comportamiento de Apolo y Eros, ¿podemos decir que los dioses griegos tenían los mismos defectos que los hombres, o crees más bien que eran un ejemplo para los seres humanos? Razona tu respuesta.

8 ¿El origen de qué planta y de qué costumbre queda aclarado a través del mito de Dafne?

Hércules y la hidra de Lerna

1 En la mitología griega, cada héroe sobresale por una determinada cualidad física, un rasgo moral, una costumbre… ¿Cuál es la característica más destacada de Hércules y cómo se puso de manifiesto al poco de nacer el héroe? ¿Qué arma lleva Hércules siempre consigo? (pág. 37)

2 Hércules ejecutó doce trabajos o proezas, ciclo al que pertenece su lucha contra la hidra de Lerna. ¿Cómo es la hidra? ¿Qué efectos causa su aliento? ¿Por qué resulta casi imposible vencerla?

3 Incluso los héroes más atrevidos y capaces necesitan a veces la ayuda de los cielos para realizar sus portentosas hazañas. ¿Qué divinidad asiste a Hércules en su lucha contra la hidra de Lerna y qué ayuda le proporciona?

4 ¿Varía el estado de ánimo de **Hércules** durante su larga lucha con la hidra? ¿Lo vemos desfallecer en algún momento, o conserva siempre la fe en la victoria?

5 Ya hemos dicho que el combate contra la hidra pertenece al ciclo de los doce trabajos de Hércules. Averigua en qué consistieron los otros once trabajos, y por qué razón los llevó a cabo el héroe.

6 Una de las características más llamativas de los mitos es que no se difunden por medio de un texto único y estable, sino a través de **múltiples versiones** que a veces difieren mucho entre sí. En concreto, del combate de Hércules con la hidra existe una versión muy distinta de la que hemos leído, en la cual el héroe recibe la ayuda de un sobrino suyo llamado Yolao. Investiga sobre esa versión del mito y describe cómo ayudó Yolao a su tío en el pantano de Lerna y qué hizo la diosa Hera para dificultar la victoria de Hércules.

El rapto de Europa

1 La protagonista del relato es una joven hermosísima llamada Europa. ¿Qué precauciones toman con ella los varones de su familia? Ajeno a esas medidas, ¿qué siente Zeus por Europa?

2 La vida rutinaria y feliz de Europa da un vuelco un día en que un rebaño de bueyes aparece en la playa de Tiro. ¿Cómo es el animal más destacado del grupo? ¿Con qué intención se acerca Europa al toro?

3 ¿Quién es en realidad el toro? ¿Qué hace una vez que se ha ganado la confianza de Europa? ¿Cómo cambia entonces el estado de ánimo de la joven? ¿Adónde es trasladada Europa y qué experiencia conoce allí? ¿Qué hace Zeus para que quede un recuerdo perpetuo de la aventura de Europa y el toro?

4 La historia de Zeus y Europa nos habla del poder del **amor**. ¿Con quién es comparado Zeus para describir la fuerza de su deseo? (pág. 42) ¿Dirías que Europa obra impulsivamente, al modo de los enamorados, cuando se acerca al toro? ¿Qué reacción te parece más comprensible: la suya o la de sus amigas?

5 ¿Qué opinas del comportamiento de Zeus en este mito? ¿Te parece digno de un dios? ¿Por qué?

6 El narrador tarda en revelarnos quién se esconde tras el toro que aparece en la playa de Tiro. ¿Has sospechado tú la verdad antes del momento en que se descubre? Si es así, ¿qué indicios te han ayudado a descubrir la identidad del toro?

Teseo y el laberinto de Creta

1 El nacimiento del Minotauro conmociona a Minos, el rey de Creta. ¿Cómo es el Minotauro? Al verlo, ¿qué le reprocha Minos a su esposa? ¿Por qué el rey no se atreve a matar al monstruo? ¿Cuál es el motivo por el que lo encierra?

2 ¿Cómo es la prisión que construye Dédalo para el Minotauro? ¿De qué modo se alimenta el monstruo?

3 Teseo, el príncipe de Atenas, se ve obligado a enfrentarse al Minotauro. Durante su viaje a Creta, ¿cómo se aprecia que Teseo es un hombre valiente?

4 ¿Quién y por qué ayuda a Teseo a vencer al Minotauro y salir del laberinto? ¿Cómo usa el héroe el hilo de seda y de qué modo acaba con el Minotauro?

5 ¿Cómo definirías el carácter del rey **Minos**? ¿Dirías que es un tirano? ¿Por qué? ¿Qué opinas de su decisión de encerrar al Minotauro?

6 Aunque queda algo ensombrecido por los protagonistas, **Dédalo** es un personaje decisivo en el mito del laberinto de Creta. ¿Cómo valoras su actitud con respecto a Ariadna? (pág. 52) ¿Dirías que Dédalo es un hombre generoso? ¿Por qué?

7 El final del mito nos hace pensar en una frase típica de los cuentos populares: «Fueron felices y comieron perdices». Pero ¿fue eso lo que les sucedió a Teseo y Ariadna? Investiga en un diccionario de mitología cómo concluyó la historia de amor de la pareja.

El vuelo de Ícaro

1 El rey Minos se siente traicionado por Dédalo. ¿Por qué? ¿Qué castigo le impone? Más que su propio afán de supervivencia, ¿qué motivo empuja a Dédalo a buscar un medio de salvación?

2 Dédalo construye unas alas que han de proporcionarle la libertad. ¿Con qué materiales las fabrica? Una vez hechas las alas, ¿qué consejos le da Dédalo a su hijo? ¿Los sigue Ícaro? ¿Qué le sucede al muchacho al final del relato?

3 Padre e hijo afrontan la experiencia del vuelo de maneras radicalmente distintas. Explica cómo se siente cada uno cuando se echa a

volar. En tu opinión, ¿cómo influye la edad en el comportamiento de los protagonistas? Si tú estuvieras en su lugar, ¿crees que tu actitud se parecería más a la de Ícaro o a la de Dédalo?

4 El mito de Ícaro tiene una **finalidad aleccionadora**, pues alerta a los hombres sobre los severos peligros que les esperan si sobrepasan los límites establecidos. ¿Qué límites naturales se saltan Dédalo y su hijo? Más en concreto, ¿cuál es la falta que comete Ícaro, y que los dioses castigan con tanta dureza?

Edipo y el enigma de la Esfinge

1 La Esfinge es uno de los numerosos monstruos que aparecen en la mitología griega. ¿Cómo es la Esfinge y por qué ha sido enviada por Hera a Tebas? ¿Qué hace cada vez que se acerca un viajero a la ciudad?

2 Edipo decide viajar a Tebas para enfrentarse con la Esfinge. Ya ante el monstruo, ¿qué extraña maniobra lleva a cabo para concentrarse mejor? ¿Qué solución le da al enigma de la Esfinge? ¿Cómo reacciona el monstruo al sentirse derrotado? ¿Qué recompensa obtiene Edipo por su victoria?

3 ¿Qué cualidades de Edipo quedan de manifiesto durante su enfrentamiento con la Esfinge? ¿Cómo contrasta la actitud del héroe con la de las otras personas que intentaron descifrar el enigma del monstruo?

4 El mito parece tener un final feliz pero, en el último momento, se vislumbra un **destino trágico** para Edipo. Consulta un diccionario de mitología e investiga qué le sucedió al personaje una vez que se convirtió en rey de Tebas. ¿Qué versos del enigma de la Esfinge explicarían la tragedia del héroe?

5 Edipo fue alejado de Tebas para evitarle a la ciudad un cúmulo de desgracias. Pero la profecía se cumple, lo que parece indicar que somos prisioneros de un destino que se ha de realizar sin remedio. ¿Estás de acuerdo con esta afirmación, o más bien piensas que todo lo que nos pasa es consecuencia del acierto o el desatino con que obramos?

6 En cierta versión del mito de Edipo, la Esfinge plantea un enigma distinto al que hemos leído. En concreto, dice así: «Son dos hermanas. Cada una engendra a la otra y es, a su vez, engendrada por ella». Intenta descubrir cuál es la solución de este segundo acertijo.

7 Los psicólogos han recurrido a veces a los mitos para dar nombre a determinados procesos mentales. Averigua a qué se le llama en la actualidad *complejo de Edipo* y por qué se le da ese nombre. Para responder, ten en cuenta lo que has contestado a la pregunta 4.

El desafío de Aracne

1 Aracne, la hija del rey de Lidia, destaca por una habilidad. ¿Cuál es? ¿Por qué se enfada Atenea con Aracne?

2 Atenea y Aracne se enfrentan en un duelo, en el que Aracne confecciona un velo. ¿Por qué se irrita Atenea al verlo? ¿Cómo se siente Aracne al comprender el grave error que ha cometido y qué terrible decisión toma entonces? Aunque Atenea se apiada de Aracne, ¿qué castigo le impone?

3 **Aracne** es castigada por su comportamiento. ¿Qué actitudes del personaje te parecen más negativas? En general, ¿cuál es el principal defecto de Aracne? ¿Crees que la joven se merece el castigo que recibe?

4 Con respecto a **Atenea**, ¿te parece que podemos reprocharle algo, o dirías que su comportamiento es adecuado en todo momento?

5 Dos de las funciones más habituales de los mitos son explicar el origen de las cosas y transmitir una útil moraleja. ¿Por qué podemos decir que, en el mito de Aracne, se dan simultáneamente las dos funciones?

6 Uno de los grandes maestros de la pintura española, Velázquez, se inspiró en el mito de Aracne para pintar su famoso cuadro *Las hilanderas*. Busca una reproducción de la obra e identifica a las figuras que representan a Aracne y Atenea. ¿Qué dos momentos del mito recrea Velázquez en el cuadro?

El oro de Midas

1 El dios Dionisos decide ofrecerle a Midas un don. ¿Por qué se muestra tan generoso con el rey? ¿Qué don pide Midas?

2 Midas no tarda en darse cuenta de que se ha equivocado, pues ¿qué gran tragedia se desencadena por culpa del don que ha pedido? ¿Por qué teme Midas por su vida? Al final, ¿cómo se soluciona el problema del rey?

3 ¿Qué defectos del **rey Midas** quedan de manifiesto en el cuento? Por consiguiente, ¿cuáles son las lecciones morales que nos transmite el mito? ¿Crees que Midas se merece lo que le pasa? ¿Por qué?

4 El **río Pactolo** portaba oro en sus aguas, situación a la que el mito le proporciona una explicación legendaria. ¿Cuál? (pág. 76)

5 El mito de Midas facilita una reflexión sobre las cosas que tienen auténtico valor en la vida. ¿Qué pedirías tú en el caso de que el dios Dionisos te ofreciera la posibilidad de gozar de un don?

Perseo y la cabeza de Medusa

1 El dios Zeus queda prendado de una joven llamada Dánae que vive enclaustrada en una torre. ¿Por qué está Dánae aislada del mundo y qué prodigio realiza Zeus para acceder a ella? ¿Cómo se deshace el rey Acrisio de Perseo, el niño que Dánae concibe con Zeus?

2 El joven Perseo viaja hasta los confines del mundo para enfrentarse a Medusa. ¿Por qué emprende esa

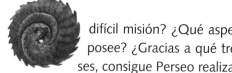

difícil misión? ¿Qué aspecto tiene Medusa y qué terrible poder posee? ¿Gracias a qué tres objetos, proporcionados por los dioses, consigue Perseo realizar su hazaña?

3 En el viaje de regreso a casa, Perseo acomete una segunda hazaña. ¿De qué proeza se trata y qué recompensa recibe por ella?

4 Como muchos otros héroes, **Perseo** aúna la fuerza y la astucia. ¿En qué momentos hace uso de esta última facultad? ¿Cuál de las dos hazañas que realiza Perseo te parece más meritoria y por qué?

5 En la mayoría de los mitos, lo mismo que en los cuentos populares, los **inocentes** acaban por salvarse de todos los peligros, mientras que los **malvados** reciben un severo castigo. ¿Cómo se cumple esa tradición en el mito de Perseo?

6 La historia que has leído omite cuál fue el destino final de **Acrisio**, el rey que tanto temía a la posibilidad de tener nietos. Averigua qué le sucedió a Acrisio cuando Perseo volvió a Argos. Dado ese final, ¿en qué se parece la historia de Acrisio a la de Edipo?

7 Según el mito, mientras Perseo sobrevolaba la Tierra con la cabeza de Medusa en la mano, unas gotas de sangre del monstruo cayeron desde el cielo e hicieron que brotase de la tierra un animal fabuloso. ¿De qué animal se trata? ¿Qué características tenía?

Orfeo en el infierno

1 ¿Cuál es la cualidad más destacada de Orfeo? ¿Qué valioso objeto lleva consigo habitualmente?

2 ¿Quién es Eurídice? ¿De qué trágica manera muere? ¿Cómo reacciona Orfeo ante el fin de su esposa?

3 Orfeo toma la decisión de descender a los infiernos para recuperar a Eurídice. ¿Qué barreras debe superar antes de alcanzar el reino de Hades y cómo consigue superarlas? Hades accede al ruego de Orfeo, pero ¿qué condición le impone?

4 ¿Qué ocurre cuando Orfeo y Eurídice están a punto de alcanzar el mundo de los vivos? Tras ese trágico suceso, ¿de qué modo vuelve Orfeo a encontrarse con Eurídice?

5 Buena parte de los mitos nos advierten sobre el peligro que corren quienes cometen determinadas faltas morales. ¿Qué falta comete **Orfeo**, por culpa de la cual no consigue recuperar a Eurídice? ¿Por qué nos recuerda ese error al de Pandora?

6 El mito de Orfeo nos habla de la vida del **más allá**. Teniendo en cuenta lo que le pasa a Eurídice, ¿dirías que los griegos creían en la resurrección? Razona tu respuesta.

7 Como ya dijimos, algunos mitos se han difundido a través de múltiples versiones distintas. Así, en una de las variantes de la leyenda de Orfeo, el héroe es asesinado. Averigua quién lo mata y por qué, y dónde acaban su cabeza y su lira.

8 El relato explica que, en cierta ocasión, Orfeo fue capaz de aplacar la furia del mar con su canto (pág. 86). Averigua en qué expedición tuvo lugar ese prodigio, y cuál era el objetivo de dicha expedición.

9 El caso de Orfeo y Eurídice guarda ciertas similitudes con lo que explica la Biblia acerca de la esposa de Lot (Génesis, 19, 26). ¿Qué le sucedió a este personaje? ¿Por qué te parece que, en ambos casos, los dioses son tan duros con los seres humanos?

Ulises y el caballo de Troya

1 Al principio del relato, los griegos se encuentran hundidos en el desánimo, pero Ulises se pone a trabajar para cambiar las cosas. ¿A qué se debe la desesperanza de los griegos? ¿Cómo concibe Ulises la artimaña que necesita para ayudar a sus compatriotas?

2 Cierto día, los troyanos se quedan muy asombrados al mirar hacia la llanura que se extiende al pie de Troya. ¿Qué es lo que les sorprende? ¿Cómo reaccionan ante tan repentino cambio?

3 En la llanura, los troyanos encuentran un gran caballo de madera. ¿Por qué lo llevan al interior de su ciudad? ¿Quién les advierte de que no lo hagan y por qué nadie le hace caso?

4 Finalmente, se nos revela el secreto que encierra el caballo. ¿Cuál es? ¿Para qué abren Ulises y sus compañeros las puertas de Troya?

5 Tal y como Homero explica en la *Ilíada*, durante los años de asedio de la ciudad de Troya, entre los griegos predominaron los ideales de valentía, arrojo y fuerza, bien ejemplificados por Aquiles y Héctor. Pero, al final, es otro valor el que vence. ¿A qué nos referimos? ¿Qué héroe representa ese valor y qué cualidades positivas y negativas se le atribuyen a dicho personaje en el relato que has leído?

6 ¿Qué opinión te merece el comportamiento de los griegos en el episodio del caballo de Troya? ¿Crees que son válidas las victorias conseguidas por medio de una trampa? En general, ¿dirías que, en una guerra, todo vale? Razona tus respuestas.

7 El ciclo mítico relacionado con la **guerra de Troya** no termina con la destrucción de la ciudad, pues hay varias historias que explican qué les sucedió a los caudillos griegos cuando regresaron a su patria. Averigua cuántos años tardó Ulises en volver a Ítaca y con qué se encontró al llegar. ¿Qué nombre recibió su largo y accidentado viaje de retorno?

8 La importancia del ciclo de la guerra de Troya es tal que ciertas expresiones relacionadas con el mito han acabado por usarse en la **lengua cotidiana**. Averigua qué queremos decir cuando utilizamos las siguientes expresiones: *manzana de la discordia*, *se armó la de Troya*, *talón de Aquiles*, *odisea* y *canto de sirenas*. Indica, asimismo, de qué pasaje mítico procede cada una de esas expresiones.

Personajes y temas

Dioses, héroes y monstruos

1. Sabemos con certeza que los mortales habitan en la Tierra. Pero, ¿en qué mítico lugar residen los **dioses griegos**? (pág. 9) Hefesto, el dios del fuego y la herrería, constituye una excepción a esta norma. ¿Recuerdas dónde transcurre buena parte de su existencia y por qué vive allí?

2. ¿De qué manjares se alimentan los dioses para asegurarse la inmortalidad? (pág. 9) ¿Cómo contribuyen los seres humanos a su alimentación? (pág. 9)

3. En una religión politeísta como la griega se impone una especialización de los dioses en distintos campos o ámbitos de influencia. ¿Qué divinidad controla la vida del más allá? (pág. 88) ¿Quién maneja la fuerza del amor? (pág. 30) ¿Cuál es el reino de Poseidón? (pág. 82) ¿Qué atributos propios utiliza Atenea para ayudar a Hércules, Perseo y Ulises? (págs. 40, 81 y 91) ¿Cuál es el ámbito de influencia de la diosa Temis? (pág. 25)

4. Como habrás comprobado, el comportamiento de los dioses refleja las virtudes y defectos de la propia humanidad, pues las divinidades griegas alternan la crueldad y la compasión, el egoísmo y la generosidad… Selecciona pasajes de los mitos que has leído en los que queden patentes los siguientes sentimientos de los dioses: ansia de venganza, envidia, deseo obsesivo y egoísmo. ¿Adorarías tú a unas divinidades que tienen tantos defectos? Razona tu respuesta.

5 A grandes rasgos, podríamos decir que el objetivo general de los dioses es mantener el orden del mundo para que no impere el caos. Con ese fin, suelen imponer castigos a los hombres cada vez que se sienten atacados o defraudados. ¿Crees que alguno de esos castigos es excesivo o, por el contrario, todos te han parecido adecuados? ¿En qué mito hay una divinidad que llega a exigir el sacrificio de una mujer para apaciguar su ira? ¿Cómo actúan los dioses cuando alguien sobrepasa los límites establecidos? (Recuerda los casos de Prometeo, Deucalión e Ícaro).

6 Los dioses griegos participan de forma activa e inmediata en la vida de los hombres. Pero ¿cómo disimulan su verdadera apariencia cuando tienen que visitar la Tierra? Responde aportando ejemplos. ¿Se da en religiones como el cristianismo y el Islam una actitud de familiaridad semejante de los dioses con los hombres?

7 Buena parte de los mitos griegos están protagonizados por **héroes**, criaturas semidivinas que destacan por sus extraordinarios atributos físicos o psíquicos. ¿Qué cualidades destacarías en Hércules, Perseo, Teseo y Ulises?

8 Busca en un diccionario el significado que hoy en día otorgamos al término *héroe*. ¿Quiénes serían, según tú, los héroes de hoy en día? ¿Se parecen a los de la mitología griega?

9 Los héroes cuentan, casi siempre, con la valiosa ayuda de las divinidades. Cita dos ejemplos de colaboración entre dioses y héroes. ¿Qué héroe se nos muestra en el libro capaz de superar su arriesgada empresa sin necesidad de intervención divina alguna?

10 El universo mítico de los griegos se halla poblado de **monstruos** que constituían auténticas encarnaciones del mal. Por lo general,

¿para qué utilizan los dioses a los monstruos? (págs. 59 y 82) ¿De qué modo se refleja la inmoralidad de los monstruos en su aspecto físico? ¿Qué contraste se produce entre su apariencia y la de los héroes que luchan contra ellos? ¿Cómo suelen acabar los monstruos tras enfrentarse a los héroes? (págs. 41, 64, 82…)

Temas

1. Ciertos temas se repiten en múltiples mitos. Una de las ideas más reiteradas en la mitología griega es que el **destino** es más poderoso que la voluntad de las personas, así que, cuando algo tiene que ocurrir, nadie puede remediar que pase más tarde o más temprano. ¿Qué héroe de nuestro libro acabó naciendo a pesar de todas las precauciones que tomó su abuelo para que no viniera al mundo?

2. ¿Cuáles de los mitos que has leído nos alertan sobre los males que acarrea el exceso de confianza en uno mismo? ¿En qué mito es un dios, en vez de un hombre, quien es castigado por su **soberbia**? ¿Qué fábulas nos advierten sobre los peligros que entraña la curiosidad?

3. En los mitos griegos aparecen con frecuencia hombres y héroes que se esfuerzan por **superar los límites** propios de la condición humana. ¿Qué final tienen quienes obran así? Recuerda, por ejemplo, los casos de Ícaro y Orfeo.

4. Los mitos griegos nos hablan con frecuencia acerca de la fuerza avasalladora del **amor** y del deseo. ¿Con qué finalidad usa Cupido el amor en «Apolo y Dafne»? ¿A qué excesos conduce el poder del deseo en las historias de Dánae y Europa? ¿De qué manera determina el amor la trama de «Teseo y el laberinto de Creta»?

5. La inteligencia y la **astucia** eran cualidades muy valoradas por los antiguos griegos. ¿Qué mitos insisten sobre el poder de la astucia?

6 Los mitos pueden ser clasificados tanto por su función como por su contenido. Algunos, los llamados **mitos etiológicos**, ofrecen explicaciones sobre el origen de nombres, costumbres, fenómenos naturales, formaciones de estrellas… Revisa los relatos que has leído y menciona cuatro mitos de este tipo. En vez de conformarnos con lo que cuentan los mitos, ¿qué métodos usamos hoy en día para explicarnos el origen de las cosas?

7 A los mitos que proporcionan una determinada enseñanza sobre el comportamiento humano y que nos inducen a obrar de una cierta manera se les suele llamar **mitos morales**. Escoge, de este tipo, el mito que más te haya impresionado y explica la lección moral que se puede extraer de él.

8 Parte de los mitos griegos nos hablan de la **vida de ultratumba** y del más allá. De entre los relatos que has leído, ¿cuál englobarías en dicho grupo?

Un mito nuevo

1 Tras la lectura del libro, seguro que te sientes capacitado para crear un mito por ti mismo. La primera posibilidad que te sugerimos es que confecciones un mito de tema libre. Para ello, te aconsejamos que sigas las siguientes pautas:

a) Reflexiona primero sobre el tema principal del mito y sobre la función que quieres darle.

b) Elige cuidadosamente a los dioses y personajes humanos que protagonizarán el relato y decide qué cualidades resaltarás en unos y otros.

c) Escoge el lugar en el que se desarrollará la acción.

d) Decide qué elementos maravillosos o mágicos incorporarás a la trama.

e) Idea un desenlace en el que se refleje claramente la función que le has asignado al mito.

2 La segunda posibilidad que te sugerimos es que confecciones un mito con la finalidad de establecer el origen de un determinado fenómeno o costumbre. Utiliza tu historia, por ejemplo, para explicar a qué se debe que la cola del pavo real esté tan ricamente adornada. Cuando hayas elaborado tu mito, consulta la palabra *Argos* en un diccionario de mitología para averiguar cómo se explicaban los griegos el hecho de que el pavo real tuviese una cola tan exuberante. Luego, compara tu mito y el de los griegos y decide cuál de los dos te parece más sugerente.

CUCAÑA